입문자를 위한 뽑아 쓰는
포토샵 디자인

입문자를 위한 뽑아 쓰는 포토샵 디자인

2021년 3월 29일 초판 1쇄 발행
2021년 3월 29일 초판 1쇄 인쇄

지은이 　｜조가을

인쇄 　｜아레스트
편집 　｜theambitious factory

펴낸이 　｜이장우
펴낸곳 　｜꿈공장 플러스
출판등록 ｜제 406-2017-000160호
주소 　｜서울시 성북구 보국문로16가길 43-20, 꿈공장 1층
전화 　｜010-4679-2734
팩스 　｜031-624-4527
이메일 　｜ceo@dreambooks.kr
홈페이지 ｜www.dreambooks.kr
인스타그램｜@dreambooks.ceo

ISBN 　｜979-11-89129-84-2

정 가 　｜15,000원

유튜브
영상강의

간단한
예제다운

CC2021
한글판

입문자를 위한 뽑아 쓰는

포토샵 디자인

외우지 않아도 익혀지는 포토샵 실전판

[이런 분들에게 필요한 책입니다]

마케팅을 시작한 분들, 블로그나 카페에 홍보 자료를 만들고 싶은 분들 등

마케팅이 필요한 모든 분을 위한 책입니다.

[구구절절한 설명 NO! 만들어 보면서 이해할 수 있어요]

포토샵이 어렵게 느껴지는 가장 큰 이유는 바로,

복잡한 용어와 실무에는 필요도 없는 정보 때문입니다.

마치 사전 같은 구구절절한 내용은 없애고,

꼭 필요한 것들만 압축하고 오직 실무에 필요한 것들로 구성되어 있습니다.

[마케팅 디자인 강사의 탄탄한 교육이 모두 담겼어요]

1:1 강의와 멘토링을 통해 수많은 포토샵 실력자를 배출해 냈습니다.

입소문이 퍼질 정도로 유용한 강의와 정보를 이 책에 담아냈습니다.

포토샵 디자인을 아주 쉽게 할 수 있답니다.

포토샵 프로그램을 배우고 싶지만, 독학이 쉽지 않은 것 또한 현실입니다.

낯선 용어 때문에 첫 장부터 머리가 아파 덮어 버리고 마는 책이 아닌,

진짜 필요한 것들만 쏙쏙 찾아 습득할 수 있는 그런 책입니다.

_____ Special Thanks To.

두 번째 책도 나올 수 있도록 옆에서 힘이 되어주시며, 묵묵히 도와주셨던
꿈공장 플러스 대표님께 감사드립니다.
대표님과의 인연에 감사함을 글로 전하고 싶었습니다.
그리고 늘 옆에서 든든한 힘이 되어주는 엄마와 동생에게 고맙다는 말을 전합
니다.
이 책이 나올 수 있었던 건,
저와 함께 즐겁게 수업에 임해주신 수강생분들이 계셨기에
두 번째 책도 나올 수 있었습니다.
변함없이 제 곁에 있어 주는 친구들에게도 감사함을 전하고 싶네요.
이 책으로 더 멋진 디자인을 창조해 낼 독자분들께 진심으로 응원한다는 말씀
을 끝으로 드립니다.

contents

만들면서 익히는 고급 스킬 이미지

포토샵 스킬을 업 시켜주는 200% 활용법

Tips

1장

포토샵을 다운받는 방법과 새로 추가된 것을 살펴봅니다.

예제 파일을 다운로드 받으며 포토샵의 가장 기초가 되는

파일 형식을 함께 알아보며 본격적으로 포토샵 초보 탈출을 합니다.

study01

포토샵 설치하기

포토샵 프로그램을 설치해 보겠습니다. 어도비 사이트에 접속합니다.(www.adobe.com/kr)
무료 시험 버전을 다운로드하는 방법으로 7일 동안 사용이 가능합니다.

이 책에서는 포토샵 CC 2021 한글판 버전을 기준으로 알려드리고 있습니다.

step 1

어도비 사이트에 접속 후, [지원 → 다운로드 및 설치]를 클릭합니다.

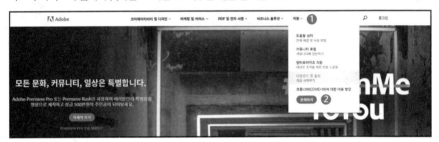

step 2

무료 체험판 메뉴에서 포토샵을 클릭합니다.

결제창이 나오면 회원가입 및 로그인을 한 후
결제 수단을 입력한 뒤에 다운로드 버튼을
클릭합니다.
*무료체험은 7일 기준으로 결제수단을
미리 입력해야만 다운이 가능합니다.

크리에이티브 클라우드 다운로드가
실행되면 설치합니다.

설치 후 다운로드가 시작됩니다.

포토샵 화면이 실행되면 끝!

2021년 포토샵의 새로운 업데이트 내용

데스크탑 버전 포토샵의 새로운 기능들이 추가되면서 더 편리하게 사용할 수 있는 내용
몇 가지를 알려드립니다.

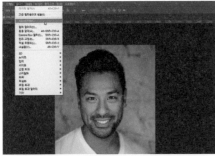

1. Neural Filters

이 기능은 Adobe Sensei에서 제공하는
필터입니다. 포토샵에 필터 〉 Neural Filters를
선택하면 얼굴 인식을 통해서 나이, 시선, 포즈
등을 변경할 수 있습니다.

피부를 매끄럽게 해주는 필터와 스타일 변환 필터 이렇게 두 가지를 적용해 볼 수 있습니다.

그밖에 다양한 실험실을 통해서 베타 버전으로
이용이 가능합니다.

2. 하늘 대체

포토샵의 새로운 기능 중 하늘 대체 기능은 사진에 하늘을 빠르게 선택한 뒤에 바꿀 수 있으며
새로운 하늘에 맞게 풍경이나 색상을 자동으로 조정도 할 수 있습니다.

4. 앱에서 자세히 알아보기

새로운 앱 내 검색 패널을 사용하면
포토샵의 도구나 실습, 문서 등을
검색할 수 있습니다.

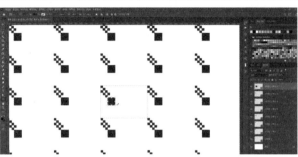

4. 패턴 미리 보기

디자인을 패턴으로 구현을 할 수 있습니다.
패턴 미리 보기를 사용하면 반복적인
패턴을 빠르게 시각화해서 매끄럽게
만들 수 있습니다.

5. 툴바에 삼각형 도구가 추가가 되면서 더 쉽게 도형을 만들 수 있습니다 그밖에 속성 패널에서 모양을 컨트롤
할 수 있게 되었습니다.

6. 플러그인 사용

포토샵에서 플러그인을 바로 설치하고 사용
할 수 있게 되었습니다

* 그 밖에 더 새롭게 업데이트된 내용이 궁금하다면 Adobe 사이트에서 확인이 가능합니다.

소스 예제 파일 다운로드

step 1

가을여자 네이버 블로그로 들어갑니다.
가을여자 블로그 주소 : https://blog.naver.com/gyeory
블로그 메뉴에 있는 [책속예제다운] 클릭합니다.

step 2

바로 파일을 다운로드하여서 사용합니다.
모든 파일은 다운로드하여서 압축을 풀어야 예제가 보입니다.

JPEG? PSD?
파일 이름 한 번에 이해하기!

여러 파일 종류가 있다 보니 정확하게 파일 포맷에 대해서 이해를 하고 넘어가겠습니다.

1. JPEG, JPG

JPEG, JPG는 이미지의 손상을 최소화시켜 압축할 수 있는 파일 포맷으로 1,600만 색상을 표현할 수 있는 고해상도 이미지 파일입니다. 쉽게 보통 우리가 가장 쉽게 접하는 사진들이 바로 JPEG, JPG 파일이라고 보시면 됩니다.

2. GIF

GIF는 투명한 배경과 움직이는 이미지로 제작이 가능한 파일입니다. 전송속도가 빠르고 용량이 적지만 256 색상밖에 표현하지 못해 대체적으로 화질은 다른 포맷 보다 떨어집니다.
움직이는 이미지 만들 때에도 사진으로 할 경우 색 표현의 한계가 있어서 손실이 발생할 수 있습니다. 포토샵에서는 움직이는 이미지를 만들 때에 가장 많이 쓰이고 있는 파일 포맷입니다.

3. PNG

GIF와 JPEG의 파일 크기 축소 기능을 제공하면서 이미지를 투명하게 쓸 수 있는 파일 포맷입니다. 압축률이 좋고 이미지 손실이 적습니다. 반투명 이미지로도 쓰이고 특히 포토샵에서는 배경이 없는 아이콘 이미지는 대부분 PNG 파일로 쓰이고 있습니다.

4. PSD

PSD는 Photoshop Document를 말합니다.
즉, 포토샵 파일로 포토샵으로 이미지를 만들었을 때 데이터를 유지하는 원본입니다. 비트맵 이미지를 이용한 포맷으로 포토샵을 할 때에 꼭 PSD 파일을 만들어서 이미지 작업을 하는 게 중요합니다.

5. AI

백터 이미지를 기반으로 하는 고해상도의 그래픽이 특징인 파일 포맷으로 확대를 하거나 축소를 해도 이미지의 손실이 없이 작업할 수 있습니다.

2장

절대 외우지 않아도 익혀지는 포토샵 기본

포토샵을 위한 준비 운동인 화면 익히기부터

어떤 식으로 이미지를 만들 수 있는지 익혀보는 포토샵에 빠질 수 없는

기초 단계를 배우면서 실력을 키워 볼 수 있어요.

작업화면 + 툴 바(tool bar)와 패널 바(panel bar)

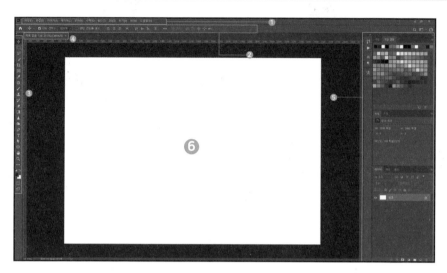

〈작업화면〉

1. 메뉴 바 : 포토샵의 모든 기능이 있습니다.

2. 옵션 바 : 툴 바의 도구들을 선택했을 때 옵션을 조절할 수 있는 곳입니다.

3. 툴 바 : 가장 많이 사용되는 도구들을 모아놓은 패널로 아이콘으로 되어있습니다.

4. 파일 탭 : 파일 이름과 이미지의 비용 그리고 컬러 모드까지 정보가 탭으로 보입니다.

5. 패널 바 : 작업할 때 필요한 옵션 설정과 기능을 모아 놓은 곳으로 원할 때마다 꺼내서
   쓸 수 있고 아이콘처럼 닫아놓거나 열어놓고 사용이 가능합니다.

6. 캔버스 : 캔버스는 작업 영역으로 처음에 새 파일을 누르면 하얀 화면이 나옵니다.

[툴 바(Tool bar)]

1. **이동 도구** : 작업을 완료하거나 레이어를 원하는 위치로 이동시킬 때 필요합니다.

2. **선택 윤곽 도구** : 원하는 영역을 사각형이나 원형 등으로 선택할 때 사용합니다.

3. **다각형 선택 도구** : 원하는 영역을 원하는 모양으로 선택을 합니다.

4. **빠른, 자동, 개체 선택 도구** : 원하는 영역을 드래그하거나 클릭하여 선택합니다.

5. **자르기 도구** : 이미지에서 필요한 부분만 남기고 잘라내거나 수평을 맞춰서 자를 수 있습니다.

6. **프레임 도구** : 이미지 자리 표시자 프레임을 만듭니다.

7. **패치 도구** : 다른 부분의 패턴이나 픽셀을 이용해서 선택 영역을 바꿀 수 있습니다.

8. **브러시 도구** : 붓이나 연필 기능 등으로 드래그나 클릭으로 원하는 부분을 페인팅합니다.

9. **그레이디언트 도구** : 두 가지 이상의 색상을 혼합하여 색을 넣을 수 있습니다.

10. **흐림 효과 도구** : 흐리게 처리할 부분을 선택해서 문지르면 강도에 따라 흐려집니다.

11. **닷지 도구** : 이미지에 보정 기능으로 강도에 따라 마우스로 문지르면 환해집니다.

12. **문자 도구** : 이미지에 글씨를 넣을 때 사용합니다.

13. **모양 도구** : 다양한 모양이나 패스를 만들 수 있습니다.

14. **전경 색/배경색** : 전경 색은 글자나 브러시 색상을 바꿀 때 쓰고 배경색은 지우개로 지웠을 때 나타나는 색상입니다. 원하는 색상을 클릭해서 추출할 때에도 사용합니다.

[패널 바(Panel bar)]

1. 레이어 패널 : 레이어를 추가하거나 삭제와 레이어스 타일 등 레이어의 기능을 모아놓은 패널입니다.

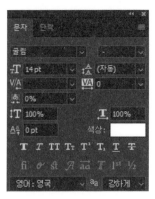

2. 문자 패널 : 문자의 크기, 행간, 색상 폰트 등 문자의 옵션을 변경할 때 쓰는 패널입니다.

3. 작업 내역 : 작업 과정을 기록하는 패널로 이전 단계로 되돌릴 때 편리하게 사용이 가능합니다.

4. 속성 패널 : 레이어에 대한 세부적인 속성을 간단하게
설정 할 수 있습니다.
레이어에 따라 속성이 바뀝니다.

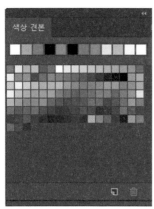

5. 색상 견본 : 자주 사용하는 색상을 모아둘 수 있는 패
널입니다.

◆ 쓰던 패널이 사라졌을 때 :
메뉴바에서 [창]을 누르면 패널 목록이 나옵니다.
여기서 사라진 패널을 체크하시면 됩니다.

◆ 작업 화면 설정하는 방법
나만의 작업 화면으로 저장 해 놓는 방법으로 편하게 작업을 할 수 있고 화면 구성이 바
뀌거나 어지러워졌을 때에도 저장한 작업화면으로 돌릴 수 있습니다. 아래 링크로 확인
해주세요.
링크 안내 ▶ https://youtu.be/N5HQMGQ-WKA

포토샵에 빠질 수 없는 레이어!

레이어는 여러 장 겹쳐 놓은 투명한 종이라고 보시면 됩니다.
아래 보이시는 이미지는 각각의 다른 이미지를 차곡차곡 쌓아서 하나의 이미지로 만들어졌습니다.

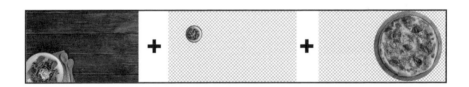

이렇게 위에 이미지 3개를 겹겹이 층을 만들어서 하나의 이미지로 만들어 놓은 것입니다.
레이어는 이렇게 하나의 이미지를 만들려면 세세하게 하나씩 레이어를 쌓아서 제작을 합니다.

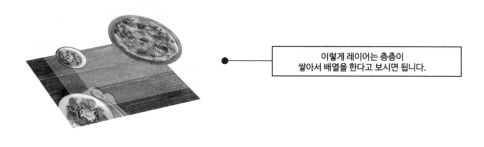

이렇게 레이어는 층층이
쌓아서 배열을 한다고 보시면 됩니다.

제일 아래는 테이블이 있는 이미지 그 위에는 아몬드 이미지 그 위에는 피자 이미지 이렇게 차곡차곡 레이어가 쌓여 있는걸 확인할 수 있습니다. 배열이 잘 된 레이어들은 이렇게 원하는 이미지를 완성 할 수 있습니다.

위 레이어 패널을 보시면 레이어들의 순서를 제대로 배열을 하지 않으면 이미지는 제대로 나타나지 않습니다.
피자 이미지와 아몬드 이미지를 아래로 내리니 위에 있는 테이블 이미지만 보이게 됩니다.
그래서 레이어 의의 배열이 중요합니다.

레이어를 쓰지 않으면?

포토샵을 하는 이유는 원본도 유지를 하기 위해서입니다.
추후에 수정할 일이 생겼을 때 바로 원본을 꺼내서 간단한 수정만 하면 되는 게
바로 포토샵 레이어입니다.
세세하게 작업할 때마다 레이어를 추가하면서 작업을 하시면 나중에 수정할 때
수정할 레이어만 선택하면 됩니다.

[레이어 패널 살펴보기]

레이어 작업을 위해서는 레이어 패널이 빠지면 안 됩니다.
레이어 패널의 다양한 기능들을 꼼꼼하게 확인해 보세요!

1. 레이어 검색 : 작업이 많아져 레이어 찾기가 어려울 때 분류별로 찾을 수 있는 기능입니다.

2. 블랜딩 모드 : 선택한 레이어가 아래 레이어에 혼합 되어집니다.

3. 불투명도 : 선택한 레이어의 불투명도를 조절합니다.

4. 잠그기(Lock) : 선택한 레이어가 움직이거나 수정이 되지 않도록 잠급니다. 전체 잠그기, 위치 잠그기 등 종류별로 잠그기를 선택할 수 있습니다.

5. 칠 : 불투명도와 비슷 하나 레이어 스타일을 제외한 색상 영역 불투명도만 조절 가능합니다.

6. 레이어 가시성 (Indicates layer visibility) : 눈 아이콘을 클릭하면 레이어가 보이거나 안 보여 지게 됩니다. Alt를 누르고 눈 아이콘을 누르면 해당 레이어만 보입니다.

7. 레이어 링크 : 두 개 이상의 레이어를 선택해서 묶는 기능으로 같이 이동하고 변형합니다.

8. 레이어 스타일 (Add a Layer style) : 선택한 레이어에 그림자 효과나 획 등 다양한 스타일을 덮어씁니다. 배경 레이어에는 적용이 불가 하지만 그룹 레이어는 적용 가능합니다.

9. 레이어 마스크 : 선택한 레이어에 레이어 마스크를 생성해서 효과를 적용합니다.

10. 조정 레이어 : 레이어 위에 덮어쓰기 식으로 이미지 효과를 적용합니다. 조정 레이어 밑에 레이어들은 모두 효과가 일괄 적용됩니다.

11. 그룹 레이어 : 레이어끼리 그룹으로 합쳐서 놓을 수 있습니다.

12. 새 레이어 만들기 : 새로운 레이어를 추가합니다.

13. 레이어 삭제 : 레이어를 삭제합니다.

14. 팝업 메뉴 : 레이어의 아이콘 모양 메뉴들을 다 모아놓은 메뉴입니다.

[블랜딩 모드 알아보기]

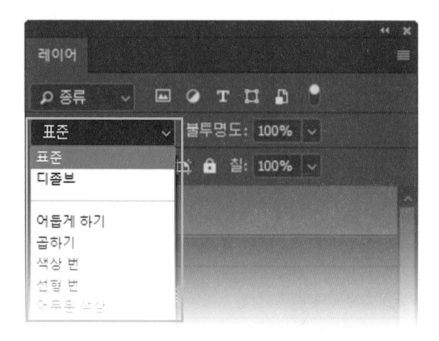

[블랜딩 모드 살펴보기]

블랜딩 모드는 레이어 패널 기능 중 하나로 상위 레이어가 하위 레이어로 혼합이 되는
효과입니다.
이미지를 다양한 느낌을 낼 수 있어서 자주 사용되고 있습니다.

총 27가지의 블랜딩 모드가 있습니다.
기초 편에서는 자주 쓰는 것들만 소개를 하겠습니다.

▲ 하위 레이어

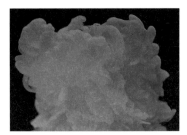

▲ 상위 레이어

위 이미지 두 개를 통해서 블랜딩 모드의 각 종류 별로 변화가 되는 모습을 살펴보도록
하겠습니다.
블랜딩 모드를 사용하실 때에는 혼합을 원하는 레이어를 하위에 놓고 상위 레이어를 클
릭 후 블랜딩 모드를 하셔야 합니다.

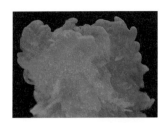

표준
가장 기본적으로 아무런 변화가 없습니다.

곱하기
100% 흰색은 투명하게 표현하고 아래 레이어와 색상이
겹쳤을 때 어두운 부분은 더 어둡게 표현합니다.

어두운 색상
채널 값이 낮은 색상으로 표현 합니다.
전체적으로 어두운 색을 혼합해서 표현합니다.

밝게 하기
두 레이어의 밝은 색상이 겹치는 부분은
더 밝게 표현합니다.

스크린
100% 검은색은 투명하게 표현하고 두 레이어가 색이
겹쳤을 때 밝은 부분은 더 밝게 표현합니다.

밝은 색상
두 레이어 중 밝은 색상으로 표현을 합니다. 채널 색상을
비교해서 밝은 색을 혼합해서 표현합니다.

오버레이
두 레이어의 밝은 색은 더 밝게 어두움은 더 어두워지게
합니다. 곱하기와 스크린 효과의 중간입니다.

스크린
부드러운 조명을 비추듯 색이 부드러워지고
회색 부분은 투명해집니다.

선명한 라이트
50% 회색보다 밝으면 대비가 감소하여 밝아지고 어두
우면 대비가 증가하여 어두워집니다.

간단하면서 유용한 사진 보정

[이미지] - [조정]에 다양한 보정 효과들을 소개합니다.
자동으로 보정을 하거나 색상톤을 바꾸거나 할 때 사용합니다.

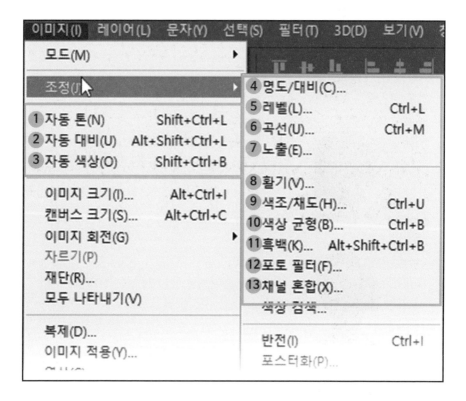

1. **자동 톤** : 자동으로 이미지의 명도를 조절합니다.

2. **자동 대비** : 자동으로 이미지의 대비를 조절합니다.

3. **자동 색상** : 자동으로 이미지의 색상을 조절합니다.

4. 명도 / 대비

이미지 밝기나 선명도를 조절할 때 사용하는 패널입니다.
초보자들도 쉽게 쓸 수 있어서 많이 사용합니다.

- **명도** : 이미지의 밝기와 어두움을 조절합니다.
- **대비** : 이미지의 대비를 조절해서 선명도를 조절합니다.
- **레거시 사용** : 체크를 하면 전체 명암 차이가 줄어듭니다.
- **미리 보기** : 체크하면 적용한 화면을 미리 볼 수 있습니다.

원본　　　　　　　　　　　명도 50 / 대비 50

5. 레벨

레벨은 명도 대비를 세세하게 수정할 때 사용합니다.
3개의 슬라이더를 조절하면서 명도와 대비를 조절합니다.

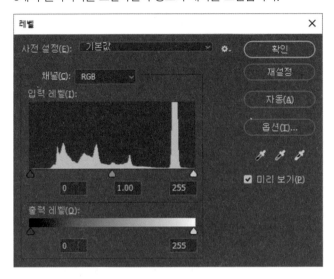

6. 곡선

곡선은 그래프를 통해서 명도와 채도를 조절합니다.

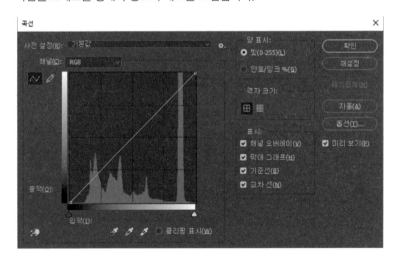

7. 노출

너무 밝거나 너무 어두운 이미지를 조절할 때 사용합니다.
어두운 영역과 밝은 영역을 조절해서 이미지가 잘 보일 수 있도록 해줍니다.

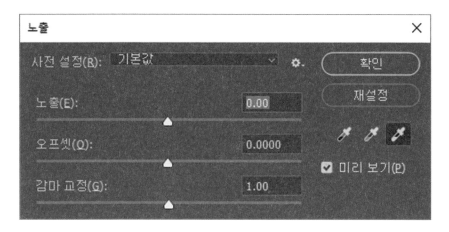

8. 활기

활기는 너무 높아진 채도도 방지를 하면서 더불어서 쉽게 채도도 조절이 가능합니다.

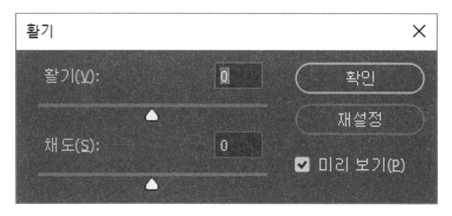

원본

활기 100 적용

채도 100 적용

〈 활기/채도 100으로 적용했을 때 〉

9. 색조 / 채도

이미지의 채도와 색상, 밝기를 조절할 수 있습니다.

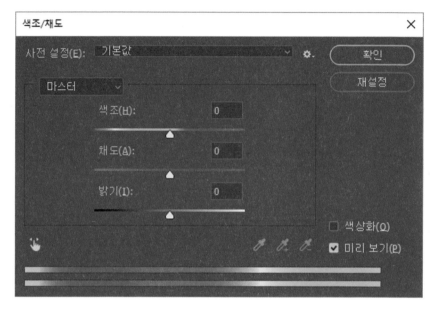

- **색조** : 화살표를 좌우로 이동시키며 원하는 색으로 바꿀 수 있는 기능입니다.
- **채도** : 오른쪽으로 이동할수록 채도가 올라갑니다.
- **밝기** : 오른쪽으로 이동할수록 밝아집니다.

〈 원하는 부분만 선택해서 색상을 바꾸기 〉

아래 이미지처럼 선택한 부분만 색조/채도를 이용해서 원하는 색상으로 조절이
가능합니다.

10. 색상 균형

색상 균형은 어두운 영역, 중간 영역, 밝은 영역을 선택해서 원하는 색상으로 조절이 가능합니다.

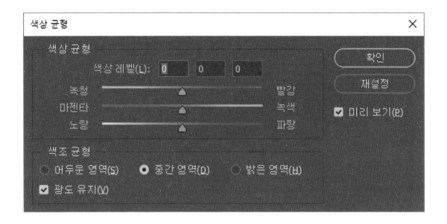

원본   색상 균형 적용 후

〈 원하는 톤으로 사진 조정하기 〉

각 영역을 체크해서 원하는 색상으로 조절합니다.

11. 흑백

이미지를 흑백으로 만들어줍니다.
또는 색상을 선택해서 원하는 색상톤으로 조절이 가능합니다.

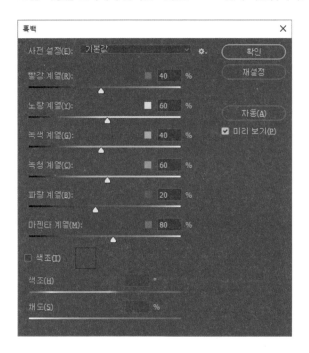

|원본|흑백|색조|

〈흑백 적용/색조 체크 후 색상 선택〉

[이미지]-[조정]-[흑백]을 클릭하면 바로 흑백으로 변하지만 하단에 색조 부분을
체크해서 채도와 색조를 조절하면서 원하는 색상의 필터 효과를 낼 수 있습니다.

12. 포토 필터

카메라 렌즈 앞에 컬러 필터를 끼우고 한 듯한 효과를 낼 수 있습니다. 이미지의 색상, 광도나 농도를 조절합니다.

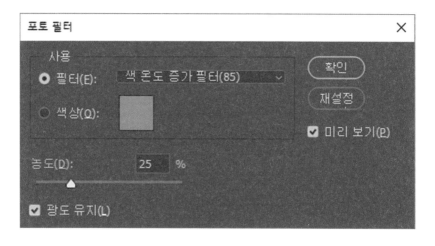

13. 채널 혼합

색상 채널을 혼합해서 색상을 보정해줍니다.

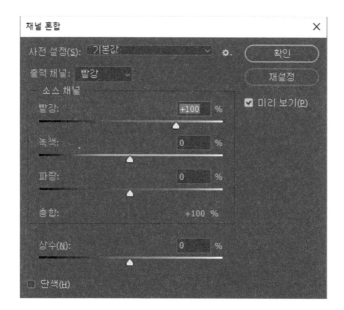

아주 기본적인 필터 효과

[부분적으로 모자이크 혹은 흐리게 처리하는 방법]

홍보 이미지를 하다 보면 개인정보를 가려야 하는 경우가 있죠.
부분적으로 모자이크를 하는 방법을 소개해드릴게요.

step 1

포토샵 첫 화면에 열기를 클릭해서 예제 이미지 〈kakao_1〉를 불러옵니다.
[Ctrl]을 누르고 [알파벳 O] 눌러서 파일을 열기 해도 됩니다.

왼쪽 툴바에 두 번째 있는 툴을 마우스로 꾹 눌러서 원형 선택 윤곽 도구를 클릭합니다.

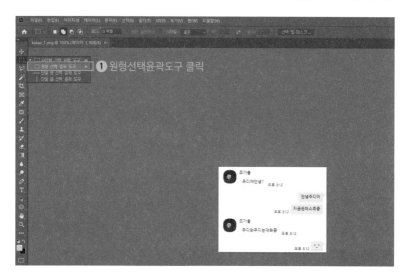

마우스로 흐리게 표현할 부분을 드래그해서 선택합니다.

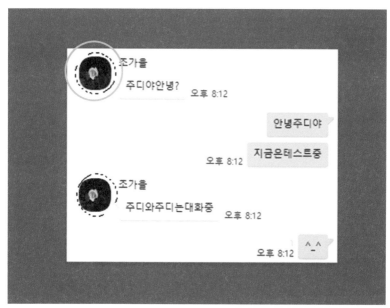

다중 선택을 할 경우 옵션 바에 있는 두 번째 선택 영역 추가를 클릭해 다중으로 선택 할 수 있습니다.

1. 새 선택 영역 : 계속 새로 선택을 합니다.
2. 선택 영역 추가 : 다중으로 선택을 할 수 있습니다.
3. 선택 영역 빼기 : 선택한 부분을 뺄 때 사용합니다.
4. 선택 영역에 교차 : 선택 한 부분의 교차한 부분만 남습니다.

step 4

제일 위에 메뉴바에서 [필터]-[흐림 효과]-[가우시안 흐림 효과]를 클릭합니다.

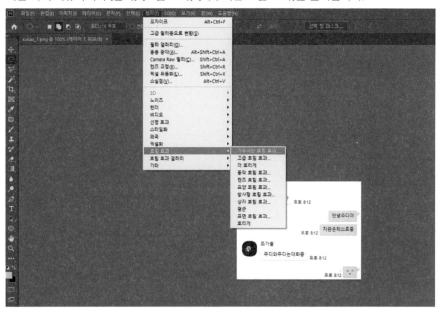

반경은 오른쪽으로 갈수록 더 흐려집니다. 반경을 1.8픽셀로 화살표를 조절하고
확인을 클릭해줍니다. 직접 숫자로도 입력이 가능합니다.

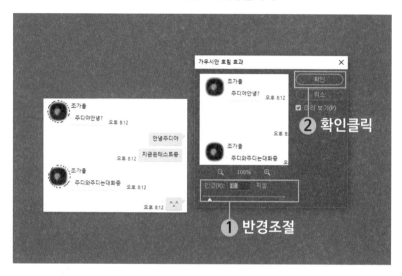

흐림 효과가 적용된 것이 확인됩니다.

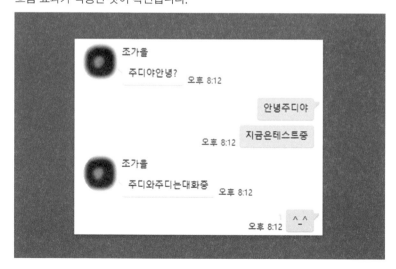

왼쪽 툴바에서 두 번째 선택 툴을 꾹 눌러서 사각형 선택 윤곽 도구를 클릭해줍니다.

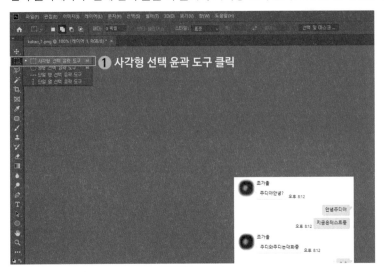

모자이크를 할 부분을 드래그해서 선택합니다.

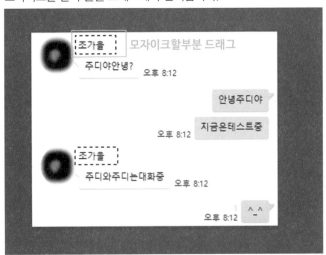

제일 위에 메뉴 바에서 [필터]-[픽셀화]-[모자이크]를 클릭합니다.

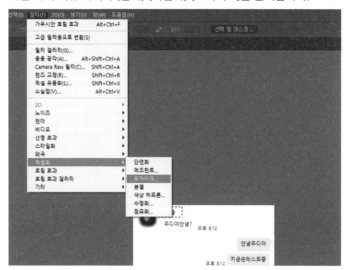

셀 크기는 오른쪽으로 갈수록 더 많아집니다. 셀 크기를 4로 화살표를 조절하고 확인을 클릭해줍니다. 직접 숫자로도 입력이 가능합니다.

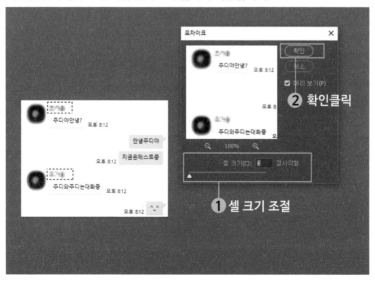

모자이크 효과, 흐림 효과 모두 적용이 되었습니다.

주디야안녕?   오후 8:12

안녕주디야

지금은테스트중

오후 8:12

주디와주디는대화중   오후 8:12

오후 8:12   ^ ^
-

3장

포토샵! 이것만 알아도 쌩초보 탈출!

포토샵을 한 번에 익혀볼 수 있는 기초 이미지를 만들어보면서

전반적인 포토샵의 기능들을 익혀보고

중요한 툴 기능을 활용해서 포토샵 실력을 상승시킬 수 있습니다.

따라 하면서 반복만 한다면 포토샵은 이미 익숙해지실 거예요.

이것만 익혀도 초보는 끝! 필수 기초 이미지

아주 기본적인 이미지 만들기를 통해서 기본 툴 사용과 어떤 식으로 이미지를 저장하고 불러오는지 기본기를 익혀 볼 수 있는 이미지를 만들어 보도록 하겠습니다.

[새로 만들기 문서] ★ 중요

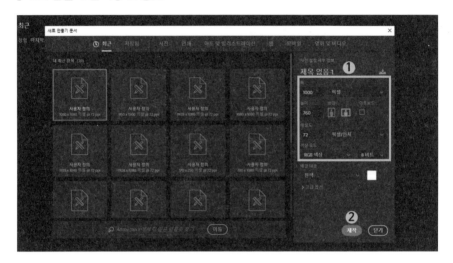

Ctrl 누르고 N을 눌러서 새로 만들기를 실행합니다.
폭은 1000픽셀 높이는 760픽셀 해상도는 72를 입력해주시고 제작 버튼을 클릭해줍니다.

*단위들은 모두 픽셀로 변경해주세요.
*웹에서 보이는 해상도는 72이며 간혹 해상도 숫자가 바뀌어있는 경우가 있으니 꼭 확인을 하셔야 합니다.

[다른 이름으로 저장] ★ 중요

[파일]-[다른 이름으로 저장]을 누르거나

Shift + Ctrl + S를 눌러서 다른 이름으로 저장을 합니다.

파일을 저장하실 때에는 꼭 저장한 폴더를 확인하시고 저장을 눌러주세요.

[이미지 불러 오기] ★ 중요

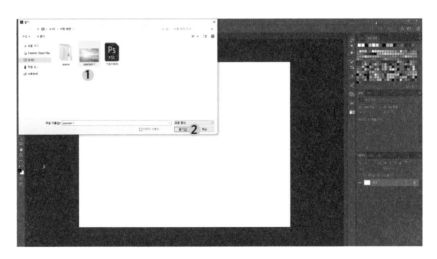

[파일]-[열기]를 누르거나 Ctrl+O를 눌러서 source3-1 이미지를 불러옵니다.

[이미지 크기 조절]

[이미지]-[이미지 크기]를 클릭하면 뜨는 팝업창에서 가로 1100 픽셀로 수정하고 확인을 눌러줍니다.

*가로나 세로 한 곳을 수정하면 자동으로 비율에 맞게 숫자가 조정이 됩니다. 만약 가로/세로 모두 숫자를 입력하고 싶다면 숫자 앞부분에 있는 클립 모양을 클릭해서 체크 해제를 하면 각각 숫자를 입력할 수 있습니다.

*해상도가 간혹 300으로 되어있는 경우 72로 수정을 하셔서 사용하는 게 좋습니다. (웹용 해상도 72 / 인쇄용 해상도 300)

[이미지 붙여 넣기]

Ctrl+A를 누르면 전체 선택으로 Ctrl+C를 눌러서 복사를 한 뒤 위에 탭 부분에
처음에 만들어 놓은 파일을 클릭합니다.
그 다음 Ctrl+V를 눌러서 붙여 넣기를 해줍니다.

[이미지 자르기] ★ 중요

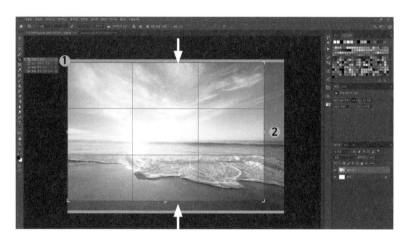

이미지를 자를 때에는 자르기 툴을 클릭 후 윗면과 아랫면만 마우스로 줄여주
면서 잘라냅니다.

[파일 저장하기] ★ 중요

Ctrl+S를 눌러서 포토샵의 작업 내역을 저장합니다.

처음에 뜨는 팝업에서는 확인을 누르고 그 뒤부터는 저장을 해도 팝업이 뜨지

않습니다. 작업한 내용을 잃지 않도록 습관처럼 눌러주는 게 좋습니다.

[닷지 도구 사용하기]

왼쪽 툴바에서 닷지 도구를 선택해서 이미지에 문질러주듯 드래그를 해서 환

한 효과를 줍니다.

[그레이디언트 적용]

레이어 패널에서 레이어를 하나 추가를 하고 툴바에서 그레이디언트 도구를 클릭하고 위 옵션 바에서 색상을 클릭합니다. 그리고 나오는 그레이디언트 편집기에서 원하는 색 종류를 클릭해서 확인을 누릅니다.

[그레이디언트 적용]

원하는 방향으로 마우스로 드래그를 해서 적용을 합니다.

[블랜딩 모드]

레이어 패널에 있는 블랜딩 모드 중 [오버레이]를 클릭합니다.

[불투명도 조절]

블랜딩 모드 옆에 있는 불투명도를 45%로 조절합니다.
화살표로 조절이 가능하고 숫자 입력도 가능합니다.

[패턴 넣기]

레이어를 하나 추가를 하고 [편집]-[칠]을 클릭합니다.

1번은 내용으로 패턴을 선택하고 2번에 사용자 정의 패턴은 사선모양을 클릭해줍니다.

그리고 확인을 눌러주세요.

[패턴 넣기]

레이어 패널에서 블랜딩 모드 [곱하기] 클릭 후 불투명도는 12%로 적용합니다.

[모양 넣기]

레이어를 하나 추가를 하고 툴 바에 있는 사각형 도구를 클릭합니다.

그리고 캔버스에 Shift를 누르면서 원하는 크기만큼 마우스로 드래그해줍니다.

[모양 넣기]

[창]-[속성]을 클릭해서 모양의 속성을 수정해줍니다.

면색상은 색상 없음으로 테두리 색상은 #8957a1으로 바꾸고 바로 옆에

테두리 굵기는 10 픽셀을 입력해줍니다.

[모양 넣기]

툴 바에 이동 도구를 클릭하고 레이어 패널에 사각형 도구가 있는 레이어를 클릭하고 Ctrl + T를 눌러서 가운데로 이동을 시켜줍니다. 정 가운데로 이동 시 이미지처럼 빨간 가이드라인이 생깁니다.

[글씨 넣기]

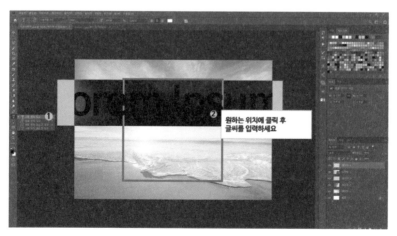

레이어를 하나 추가를 하고 문자 툴을 클릭 후 이미지에서 원하는 위치에 클릭을 하고 문자를 입력합니다.

"당신에게 좋은 일만 가득하길"이라는 문구를 입력해줍니다.

[글씨 넣기]

[창]-[문자]를 클릭해서 패널을 불러오고 원하는 글씨체와 글씨 크기, 색상은 #8957a1로 바꿔줍니다. 여기서 나눔 바른 고딕으로 100pt 으로 수정했습니다.

[웹용으로 저장하기]

[파일]-[내보내기]-[웹 용으로 저장]을 클릭합니다.

[웹용으로 저장하기]

대화창이 나오면 파일 포맷을 JPEG로 변경하고 최대값™ 품질 100으로 수정을
해줍니다.
그리고 아래 저장 버튼을 클릭해줍니다.

[웹용으로 저장하기]

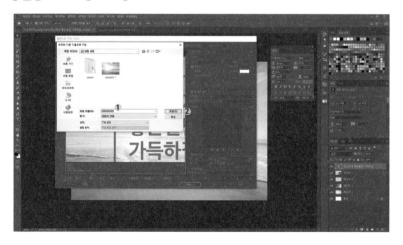

이미지 파일 이름과 저장할 위치를 정확히 지정하고 저장을 클릭해서 이미
지를 저장합니다.

선택 도구 완벽 마스터하기

포토샵에서 선택 도구는 빠질 수 없는 기능입니다.
이미지에 변형이나 합성, 복제 등등 다양하게 이용이 되며 각 선택 도구들을 함께 쓸 수
있습니다.

〈 선택 도구의 종류 〉

툴 바에 있는 선택 도구들은 종류가 많습니다.

선택 도구들은 옵션이 같아서 바꿔가며 연동해서 쓸 수 있습니다.

원하는 만큼만 선택 하거나 또는 원하는 만큼 선택 영역을 빼거나 하는 등

모두 번갈아 가면서 사용이 가능합니다.

[선택 윤곽 도구]

▦ 사각형 선택 윤곽 도구

원하는 영역을 드래그하면 사각형 모양으로 영역을 선택합니다. 정사각형으로 선택을 원할 경우 Shift를 누르고 대각선으로 드래그하면 됩니다.

▦ 원형 선택 윤곽 도구

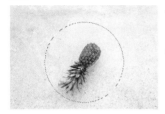

원하는 영역을 드래그하면 원형 모양으로 영역을 선택합니다. 정 원으로 선택을 원할 경우 Shift를 누르고 대각선으로 드래그하면 됩니다.

▦ 단일 행 선택 윤곽 도구

1픽셀 굵기의 가로 줄로 선택합니다.

▦ 단일 열 선택 윤곽 도구

1픽셀 굵기의 세로 줄로 선택 합니다.

올가미 도구

자유롭게 그리면서 원하는 모양을 만들어
선택합니다.
시작점과 끝점이 만나야 선택이 됩니다.

다각형 올가미 도구

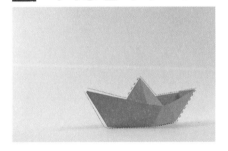

직선으로만 움직이면서 다각형으로
선택합니다.
시작점과 끝점이 만나야 선택이 됩니다.

자석 올가미 도구

색상의 경계 따라서 자동으로 자석처럼
붙으면서 선택합니다.
색상의 경계가 분명할수록 깔끔하게 선택
이 됩니다.

빠른 선택 도구

마우스로 드래그를 하면서
비슷한 색상을 빠르게 선택할 수 있습니다.
선택 도구의 크기는 키보드의
"["는 선택 브러시를 작게,
"]"는 선택 브러시를 크게 조절할 수 있습니다.

자동 선택 도구

클릭 한 지점의 비슷한 색상을 선택합니다.
주로 그림처럼 색상이 분명한 이미지를 선택할 때
사용합니다.

개체 선택 도구

개체 선택 도구는 이미지에 인물, 자동차, 가구,
애완동물 등 단일 개체 또는 개체의 일부를
선택하는 프로세스를 단순화 합니다.
이 도구는 대비가 없는 영역보다는
윤곽이 분명한 개체에 더 잘 적용이 되는 툴입니다.

[선택 도구들의 옵션 바]

선택 도구 옵션들은 서로 호환이 가능합니다.

1. 선택 옵션 : 선택 도구를 사용할 때 옵션을 선택할 수 있습니다. 총4가지의 옵션 방법으로 선택도구들을 이용해서 이미지를 선택합니다.

■ 새 선택 영역

새로운 영역을 선택합니다.

■ 새 선택 영역에 추가

기존에 선택 되어진 부분에서 추가로 선택을 할 때 사용합니다.

■ 선택 영역에서 빼기

기존에 선택된 부분에서 뺄 부분을 선택하면 자동으로 선택이 빠집니다.

■ 선택 영역과 교차

기존 선택 영역에서 새로운 선택을 하면 선택이 겹치는 부분만 남게 됩니다.

2. **패더** : 이미지의 가장자리를 부드럽게 표현해주는 효과입니다. 숫자가 커질수록 효과가 커집니다.

▼패더 0px 경우

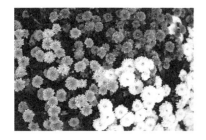

▼패더 50px 경우

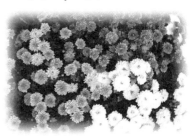

3. **안티 앨리어스** : 이미지의 가장자리에 계단현상을 부드럽게 바꿔주는 효과입니다. 적용을 했을 때 부드럽게 바뀝니다.

▼적용 안했을 때

▼적용 했을 때

4. **스타일** : 원하는 영역만큼 자유롭게 드래그해서 지정합니다.

- 표준 : 원하는 만큼 드래그 하면서 자유롭게 선택합니다.

- 고정비 : 너비와 높이 비율을 지정해서 선택을 합니다.

- 크기 고정 : 너비와 높이 크기를 지정해서 선택을 합니다.

5. **선택 및 마스크** : 더 세밀한 선택을 할 때 사용합니다.

[개체 선택 도구]

개체 선택 도구는 인물이나 동물 등 단일 개체나 개체의 일부를 선택할 수 있습니다.
피사체 선택이 가능하여 인물 선택 영역에 최적화가 되어있습니다.

1. Ctrl + O를 누르거나 [파일]-[열기]를
클릭해서 'friends.jpg'를 가져옵니다.

2. 왼쪽 툴바에 개체 선택 도구를
클릭 합니다.

3. 왼쪽에 있는 여자를 드래그 합니다.

4. 여자만 선택 된 것을 확인합니다.
Ctrl + D를 눌러 선택 해제를 합니다.

5. 옵션바에 피사체 선택을 클릭합니다.
사람만 선택 된 것을 확인 합니다.

레이어 스타일 종류 알아보기

레이어스타일은 레이어에 덮어쓰기로 효과를 입힐 때 사용합니다. 총 10가지의 종류로 되어있고 각각의 스타일을 알아보겠습니다.

[레이어 스타일 살펴보기]

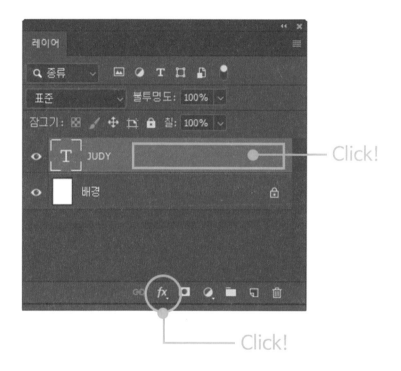

레이어스타일을 불러오는 두 가지 방법은 레이어의 빈 공간을 더블 클릭하면 불러올 수 있고 아니면 레이어를 선택하신 뒤 레이어 패널에 아래 fx라는 버튼을 눌러주시면 됩니다.

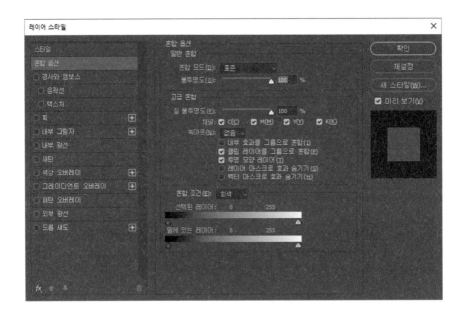

레이어 스타일 창입니다.

왼쪽은 스타일 목록입니다. 스타일을 선택하실 때에는 꼭 글씨를 클릭해주셔야 합니다.

체크박스만 클릭하면 옵션창이 바뀌지 않는 경우가 있으니 꼭 글씨를 클릭하세요.

1. 경사와 엠보스

입체적인 표현을 할 때 사용하는 스타일입니다.

2. 획

테두리를 넣을 때 사용합니다.

굵기와 스타일을 정할 수 있습니다.

3. 내부 그림자
레이어 안쪽에 그림자를 만들어줍니다.

4. 내부 광선
레이어 안쪽에 광선 효과를 넣어 줍니다.

5. 새틴
레이어 안쪽에 그림자를 만들어줍니다.

6. 색상 오버레이
레이어의 색상을 원하는 색으로 변경이 가능합니다.

7. 그레이디언트 오버레이
레이어의 그레이디언트 효과를 줍니다.

8. 패턴 오버레이
레이어에 패턴을 적용할 수 있습니다.

9. 외부 광선
레이어의 바깥쪽에 광선 효과를 줍니다.

10. 드롭 섀도
레이어의 그림자효과를 줍니다.
방향, 크기를 설정할 수 있습니다.

문자 툴 완벽 마스터하기

포토샵을 할 때 빠질 수 없는 문자도구의 옵션과 패널을 알아보도록 하겠습니다.

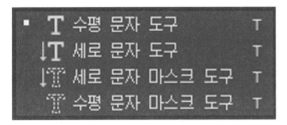

1. 수평 문자 도구

기본적인 문자의 방향입니다.

가로방향으로 문자를 입력할 때 사용합니다.

2. 세로 문자 도구

세로방향으로 문자를 입력할 때 사용합니다.

3. 세로 문자 마스크 도구

세로로 문자가 써지며 실제 글씨가 입력되는 게 아닌, 글씨 모양대로 마스크가 생성됩니다. 입력된 문자 형태로 선택영역으로 바뀌면서 마스크를 적용할 수 있습니다.

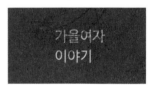

4. 수평 문자 마스크 도구

가로로 문자가 써지면서 실제로 글씨가 입력되는 게 아닌 선택영역으로 바뀌면서 마스크를 적용합니다.

[문자 도구의 옵션 바]

문자 도구를 사용할 때 필요한 옵션 바를 설명 해드리겠습니다.

1. **글꼴 선택** : 원하는 폰트를 선택할 수 있습니다.
2. **글꼴 유형** : 폰트의 스타일로 볼드,라이트등 굵기부터 기울이기가 되어있는 폰트 등 선택을 할 수 있습니다. 폰트 마다 지원하는 유형이 다릅니다.
3. **문자 크기** : 폰트의 크기를 정할 수 있고 직접 입력도 가능합니다.
4. **안티에일리어싱** : 폰트의 외곽선의 계단현상을 없앨 수 있는 기능으로 부드러움의 종류를 선택할 수 있습니다.
5. **문자 정렬** : 왼쪽, 오른쪽, 가운데 정렬을 합니다.
6. **문자 색** : 폰트의 색상을 정할 수 있습니다.
7. **문자 왜곡** : 문자의 형태를 왜곡 합니다.
8. **패널 켜기/끄기** : 단락패널과 문자 패널을 켜거나 끌 수 있습니다.

[문자 변형 하기]

문자 도구 옵션에 있는 텍스트 뒤틀기 옵션으로 문장에 다양한 효과를 줄 수 있습니다.

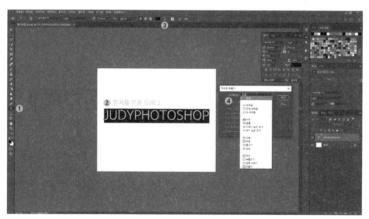

문자 도구를 클릭해서 원하는 문구를 넣고 드래그해서 전체 선택이 되게 합니다. 그리고
위에 옵션 바에서 텍스트 뒤틀기 옵션을 선택하시고 나오는 팝업에서 스타일을 설정합니
다. 자주 사용하는 스타일을 알아보겠습니다.

[텍스트 뒤틀기 스타일]

텍스트 뒤틀기의 스타일 종류는 15가지입니다. 그중에서 자주 쓰는 6가지를 소개합니다.

1. 부채꼴
부채꼴 모양으로 휘어져 둥근 모양을 합니다.

2. 아래 부채꼴
글씨의 아래 부분을 늘려서 부채처럼 늘려줍니다.

3. 위 부채꼴
글씨의 윗부분을 부채처럼 늘려줍니다.

4. 아치
아치 모양으로 문자를 배열해줍니다.

5. 돌출
돌출된 문자처럼 앞부분이 부각되어 보입니다.

6. 깃발
깃발의 흔들림처럼 굴곡이 있게 변형합니다.

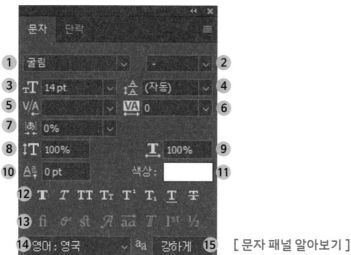

[문자 패널 알아보기]

1. **글꼴** : 폰트를 선택 할 수 있습니다.

2. **글꼴 스타일** : 폰트 스타일을 선택할 수 있습니다 폰트마다 스타일이 다릅니다.

3. **크기** : 폰트 크기를 설정합니다.

4. **행간** : 문장의 행 사이 간격을 조절하는 옵션입니다. 숫자가 올라갈수록 행간이 멀어집니다.

5. **커닝 설정** : 커서가 있는 위치에 문자 사이의 간격을 설정합니다.

6. **자간** : 문자끼리 사이에 간격을 조절합니다.

7. **선택 문자 비율 설정** : 문자 사이의 비율을 조절합니다.

8. **세로 비율** : 문자 세로의 길이를 조절하는 기능으로 숫자가 커질수록 길어집니다.

9. **가로 비율** : 문자 가로의 길이를 조절하는 기능으로 숫자가 커질수록 가로로 늘어납니다.

10. **기준선 이동 설정** : 선택한 문자의 높이를 설정해주는 옵션입니다.

11. **색상** : 문자의 색상을 설정합니다.

12. **문자의 속성** : 다양한 옵션으로 문자를 굵게, 기울이기, 밑줄 등 문자의 속성을 설정합니다.

13. **오픈 타입** : 오픈 타입 모양()이 있는 폰트를 작업할 때 작은 대문자, 글리프 등 옵션을 사용할 수 있습니다.

14. **언어 설정** : 나라면 언어를 선택해서 하이픈 기능이나 맞춤법이 선택한 언어에 맞춰집니다.

15. **안티 에일리어싱** : 문자의 외곽선 형태를 선택합니다.

[문자 상자 사용하기]

긴 문장을 한 번에 복사 붙여 넣기 하여 넣을 때, 문장 정리 하기 가장 유용한 방법은
문자 상자를 사용해서 넣어 주는 것입니다.

◆ 준비물 / source3-2 , 문지상자텍스트.txt

1. Ctrl을 누르고 O를 눌러서 source3-2를 불러옵니다.
그리고 문자 도구를 클릭하고 캔버스 위에 드래그를 해서 텍스트 상자를 만들어 줍니다.

2. 문자상자텍스트.txt 파일을 열고 본문을 복사해 포토샵에 있는 텍스트 상자에 Ctrl
을 누르고 V를 눌러서 붙여 넣기를 해줍니다.

3. 문장을 정리하고 문단 정렬을 한 뒤에 Ctrl을 누른 상태에 엔터를 눌러서 작업을 완료합니다. 또는 이동 도구를 클릭해서 작업을 완료합니다.

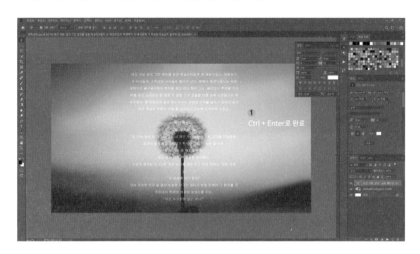

문자 상자는 긴 글을 넣어야 할 때만 쓰시는 게 좋습니다.
짧은 글이나 단어들은 상자 없이 바로 클릭해서 쓰시면 됩니다.

문자를 쓰다가 간혹 폰트가 굴림으로 바뀌는 경우
Ctrl+K를 누르거나 편집-환경설정-문자를 클릭합니다.
문자 옵션에 있는 누락된 글리프 보호 사용을 체크 해제하면 해결됩니다.

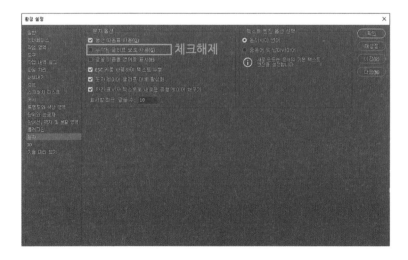

4장

툴 도구를 이용한 평생 써먹는 꿀 팁

포토샵에 다양한 효과를 적용해 보면서

조금 더 디테일을 살리며 이미지를 완성할 수 있는 단계입니다.

이제는 기본 이미지를 할 수 있다면 효과를 입혀

더 멋진 이미지를 만들 수 있는 스킬을 익혀보세요.

간단한 인물보정에 좋은 꿀 팁

포토샵을 할 때 빠질 수 없는 인물 보정에 대해서 알아보겠습니다.

간단하게 잡티 제거와 주름 제거를 하는 방법으로 인물 보정을 해보세요.

[잡티 제거하는 방법]

1. Ctrl + O를 눌러서 잡티.jpg를 불러옵니다.

2. 왼쪽 툴바에서 스팟 복구 브러시 도구를 클릭합니다.

3. 잡티가 있는 부분을 클릭해 줍니다.

잡티가 있는 부분을 클릭!

4. 잡티가 제거된 것을 확인할 수 있습니다.

Tip. 브러시 도구의 크기 조절은 "[" 또는 "]"으로 크기 조절이 가능합니다.

[주름을 제거하는 방법]

1. Ctrl + O를 눌러서 주름지우기.jpg를 불러옵니다.

2. 왼쪽 툴바에서 패치 도구를 클릭합니다.

3. 마우스로 주름 부분을 그리면서 선의 시작과 끝을 만나게 해서 선택해줍니다.

마우스로 주름 부분을 그리면서 선의 시작과 끝을 만나게 해서 선택하기

4. 같은 톤이나 비슷한 피부 쪽으로 합성할
부분으로 이동을 시켜줍니다.

5. 다른 부분도 똑같이 마우스로 그리면서
선택해서 합성을 합니다.

6. 나머지 자잘한 주름이나 잡티는 스팟
복구 브러시 도구를 클릭해서 지워줍니다.

7. 나머지 주름이나 잡티도 클릭하면서
지워줍니다.

블러 효과로 주변 흐리게 하기

간단한 흐림 효과를 적용해서 이미지를 꾸밀 수 있습니다.
포인트만 선명하게 보이게끔 주변 흐리기를 통해서 돋보이는 이미지를 만들어 보세요.

[첫 번째 방법]

1. Ctrl + O를 눌러서
흐리게하기.jpg를 불러옵니다.

2. Ctrl + J를 눌러서 레이어 복제를 합니다.

3. 왼쪽 툴바에 있는 흐림 효과 도구를
클릭합니다.

4. 옵션 바에 있는 강도를 올리거나
내리 거나해서 조절을 하고,
이미지에 흐리게 할 부분들을 문지르면서
효과를 적용해 줍니다.

5. 원하는 부분이 흐리게 적용되었습니다.

Tip. 브러시 도구의 크기 조절은 "[" 또는 "]"
으로 크기 조절이 가능합니다.

[두 번째 방법]

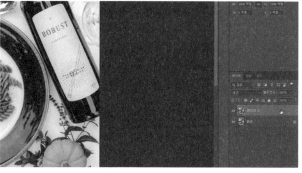

1. Ctrl + O를 눌러서 흐리게하기.jpg
를 불러옵니다. 그리고 Ctrl + J를 눌러
서 레이어 복제를 합니다.

2. 왼쪽 툴바에 있는 빠른 선택 도구
를 클릭합니다.

3. 옵션 바에 있는 선택 영역 추가를
클릭한 뒤 이미지에 병 부분을 그리듯이
선택해 줍니다.
디테일한 부분은 브러시 크기를 조절하며
클릭한 채로 선택합니다.

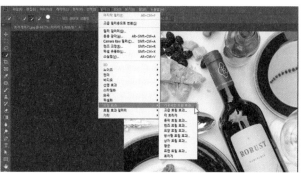

4. [필터]-[흐림 효과]-[가우시안 흐림 효
과]를 클릭합니다.

6. 옵션 창이 나오면 반경을 조절하고 확인을
눌러서 효과를 적용합니다.
그리고 Ctrl + D를 눌러서 선택 해제를
합니다.

전체 또는 선택 부분만 흑백 효과 주기

흑백 효과도 부분적인 효과 또는 전체 효과를 줄 수 있습니다.
아주 쉽게 적용할 수 있습니다.

[전체 효과 주는 방법]

1. Ctrl + O를 눌러서 흑백효과.jpg를
불러옵니다.

2. Ctrl + J를 눌러서 레이어를
복제합니다.

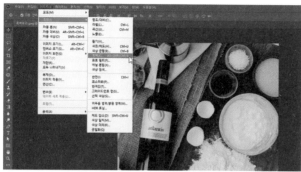

3. [이미지]-[조정]-[흑백]을
클릭합니다.

4. 옵션 창이 나오면 확인을 눌러
흑백 효과를 입혀줍니다.

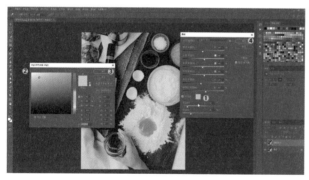

5. 흑백 효과에서 옵션을 보시면 밑부분
에 색조라는 부분을 클릭하면 원하는 색
상으로 필터 효과도 줄 수 있습니다.
색조와 채도도 조절을 해서 적용이 가능
합니다.

[선택 부분만 흑백 효과 주기]

1. Ctrl + O를 눌러서 흑백효과.jpg를 불러
옵니다.
Ctrl + J를 눌러서 레이어 복제합니다.

2. 왼쪽 툴바에서 빠른 선택 도구를 클릭합
니다.

3. 계란이 있는 부분을 문지르듯이 선택을
합니다.

4. Ctrl + Shift + I를 눌러서 선택 반전을
줍니다.

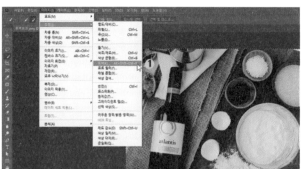

5. [이미지]-[조정]-[흑백]을 클릭합니다.

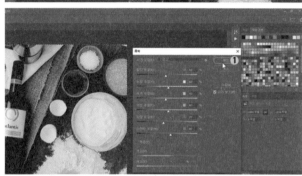

6. 옵션 창이 나오면 확인을 눌러
효과를 적용합니다.

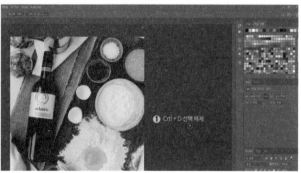

7. Ctrl + D를 눌러서 선택 해제합니다.

간단하게 밝은 효과 어두운 효과 주는 꿀 팁

툴바에 있는 닷지 도구와 번 도구를 이용해서 아주 쉽게 사진의 밝기 조절이 가능합니다.

[닷지 도구를 이용해 환한 효과 주기]

1. Ctrl + O를 눌러서 닷지.jpg를 불러옵니다.

2. Ctrl + J를 눌러서 레이어를 복제합니다.

3. 왼쪽 툴바에 있는 닷지 도구를 클릭합니다.

4. 마우스로 문지르듯이 사진 전체를 환하게 효과를 적용합니다.

Tip. 닷지와 번 브러시 도구의 크기 조절은 "[" 또는 "]"으로 크기 조절이 가능합니다.

[번 도구를 이용해 어두운 효과 주기]

1. Ctrl + O를 눌러서 번.jpg를 불러옵니다.

2. Ctrl + J를 눌러서 레이어를 복제합니다.

3. 왼쪽 툴바에 있는 번 도구를 클릭합니다.

4. 마우스로 문지르듯이 사진 전체를 어둡게 효과를 적용합니다.

필터 갤러리로 마법 같은 사진 효과 주기

포토샵에 있는 필터 갤러리는 다양한 느낌의 이미지를 만들 수 있습니다. 그림 같은
효과나 혹은 텍스쳐화 효과도 줄 수 있으며 40가지가 넘는 효과를 적용할 수 있습니
다. 필터 갤러리 효과를 알아보겠습니다.

1. Ctrl + O를 눌러서 컵케이크.jpg를
불러옵니다.

2. Ctrl + J를 눌러서 레이어를 복제합니다.

3. [필터]-[필터 갤러리]를 클릭합니다.

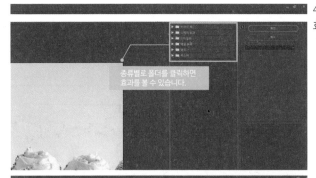

4. 폴더 부분은 클릭하면 종류별로 분류된
효과들을 확인할 수 있습니다.

5. 원하는 필터를 클릭하면 제일 오른쪽에
옵션을 선택할 수 있는 옵션 창이 나옵니다.
원하는 옵션을 선택하고 확인을 누르면
효과가 적용됩니다.

6. 원하는 필터의 미리보기를 하고 옵션을
설정하고 확인을 누르면
효과가 적용되는 걸 확인할 수 있습니다.

7. 효과가 적용된 모습입니다.

[필터 갤러리의 효과들]

1. 각진 획

대각선 획을 사용해서 이미지를
다시 페인트 한 효과를 나타냅니다.

2. 강조된 가장자리

이미지의 가장자리를 강조하는 필터 효과입니다.
밝은 부분은 흰색 분필처럼 보이고 어두운 부분은
검은 잉크처럼 효과를 냅니다.

3. 그물눈

텍스처를 추가하여 이미지의 세부 묘사와
특징을 유지합니다.

4. 뿌리기

에어 브러시로 뿌린 효과를 주는 필터입니다.

5. 수묵화

한지 위에 적신 듯한 브러시로
그린 듯 페인팅한 필터 효과입니다.

6. 그래픽 펜

가는 잉크 획을 사용하여
원본 이미지의 디테일을 캡처합니다.

7. 크레용

이미지에 짙은 부분과 어두운 부분을
크레용 텍스처로 효과를 적용합니다.

8. 하프톤 패턴

연속톤 범위를 유지하면서
하프톤 스크린 효과를 시뮬레이션합니다.

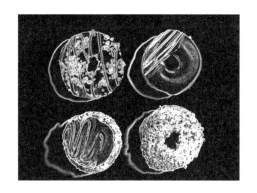

9. 가장자리 광선 효과

가장자리 색상을 명확하게 하고 네온과 같은
광선을 추가합니다.

10. 수채화 효과

디테일을 단순화하고 물과 색상으로
수채화 스타일로 이미지를 칠합니다.

11. 모자이크 타일

작은 조각이나 타일로 구성된 것처럼
이미지를 렌더링하고 타일 사이에
그라우트를 추가합니다.

12. 이어 붙이기

이미지의 해당 영역에서 주된 색상으로
칠해진 사각형으로 이미지를 분할합니다.

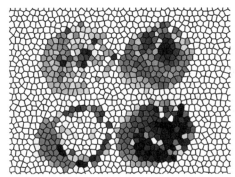

13. 채색 유리

전경 색을 사용하여 윤곽선이 그려진
단색의 인접 셀로 이미지를 다시 페인팅합니다.

14. 텍스처화

선택하거나 작성해 둔 텍스처를
이미지에 적용합니다.

4장

쌩초보도 하는

만들며 익히는 고급 스킬 이미지

실무 이미지에 필요한 이미지 만들기를 통해

전체적인 포토샵의 기능을 모두 활용하며 포토샵을 마스터합니다.

전문 스킬들을 이용해서 다양하게 이미지를 만들면서 응용할 수 있습니다.

study01
그라데이션이 들어간 썸네일 만들기

그러데이션이 들어간 블로그 썸네일 또는 카드 뉴스 메인으로도 쓸 수 있는 유용한
썸네일 만들기입니다.

- 〈가을여자〉 블로그에서 소스 다운과 영상을 함께 보세요.
- 〈가을여자〉 유튜브에서도 만들기 영상이 있습니다.

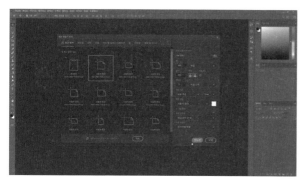

1. Ctrl+N을 누르거나 새로 만들기 버튼을
누르고 폭, 높이 모두 886px / 해상도 72를
확인하고 제작을 클릭합니다.

2. Ctrl+Shift+S를 눌러 다른 이름으로
저장합니다.
저장명은 '자몽썸네일'로 하고 확인을
눌러줍니다.

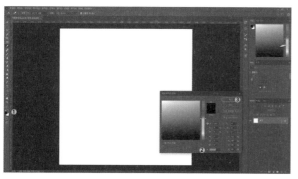

3. 배경 레이어를 클릭하고 전경 색을 클릭한
뒤 색상 피커가 나오칠 색상을 #000을 입력
하고 확인을 눌러줍니다.

4. Alt+Delete 눌러서 전경 색을 입혀줍니다.

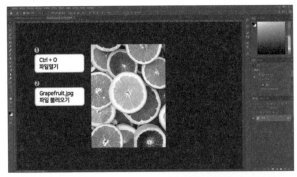

5. Ctrl+O를 눌러서 파일 열기 또는
[파일]-[열기]를 눌러서 Grapefruit.jpg를
불러옵니다.

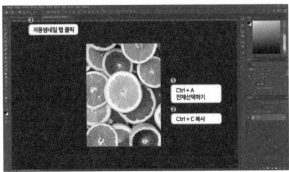

6. Ctrl+A를 눌러서 전체 선택을 한 뒤 Ctrl+C를
눌러서 복사를 합니다.
다시 '자몽썸네일' 탭을 클릭해서 돌아갑니다.

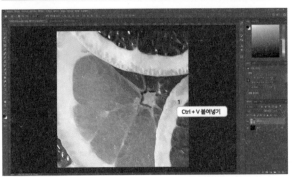

7. Ctrl+V를 눌러서 붙여 넣기를 합니다.

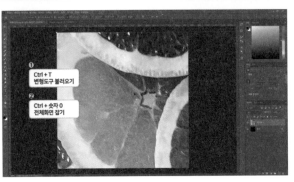

8. Ctrl+T를 눌러서 변형 도구가 나오면
Ctrl+숫자 0을 눌러서 전체 화면을 잡아줍니다.

9. 모서리 부분을 마우스로 클릭하면서 크기를 알맞게 줄여 줍니다.

** 꼭 이미지 크기에 맞게 줄이지 말고 공백이 채워지도록 비율에 맞게 넉넉히 줄여줍니다.

10. 원하는 위치를 잡은 다음 Enter를 눌러 완료합니다.

11. Ctrl+ +(플러스)를 눌러 작업 화면을 알맞게 확대합니다.

12. 레이어 패널에서 레이어 1을 클릭한 뒤 불투명도를 60%로 놓고 브랜딩 모드를 선택해 줍니다.

13. 브랜딩 모드는 하드 라이트를 선택합니다.

14. 레이어를 추가하고 사각형 도구를
눌러줍니다.

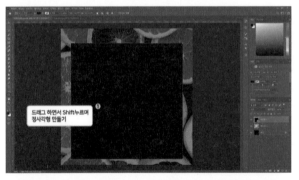

15. 드래그를 하면서 원하는 위치에
사각형을 만들어줍니다.
Shift를 누르면서 정사각형을 만들어 줍니다.

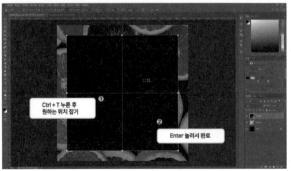

16. Ctrl+T를 눌러서 변형 도구가 나오면
위치를 중앙으로 잡아준 뒤 Enter를 눌러
완료를 눌러줍니다.

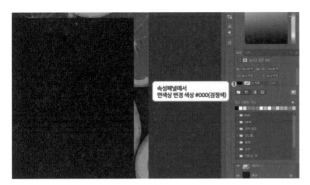

17. 속성 패널에서 칠색상을 클릭한 뒤
색상 피커를 눌러준 뒤 #000 (검은색)으로
바꿔줍니다.

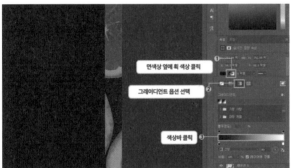

18. 속성 패널에서 칠색상 아래에
획 색상을 클릭한 뒤에 그레이디언트
옵션을 클릭해 줍니다.
아래 나오는 색상 바를 클릭해줍니다.

19. 그레이디언트 편집기가 나오칠 색상
바에 첫 번째 아래 크래용 모양을
더블 클릭 또는 클릭 한번 한 뒤 아래
정지점 부분에 색상을 클릭해줍니다.

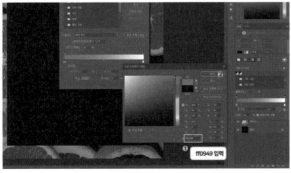

20. 색상 피커가 나오면 #ff0949를
입력해준 뒤 확인을 누릅니다.

21. 흰색 부분에 크래용 모양을 더블 클릭 또는 클릭 한번 한 뒤 아래 정지점 부분에 색상을 클릭해줍니다.

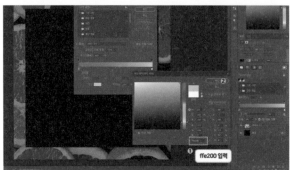

22. 색상 피커가 나오면 #ffe200를 입력해 주고 확인을 눌러줍니다.

23. 편집기에 색상이 모두 완료가 되면 확인을 눌러줍니다.

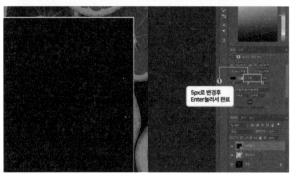

24. 속성 패널에서 획 색상 아래 굵기를 5px로 입력 해주고 Enter를 눌러 완료합니다.

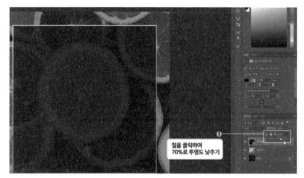

25. 레이어 패널에서 사각형 1 레이어를 클릭하고 칠 부분에 투명도를 70%으로 변경해줍니다.

**칠은 칠색상만 투명하게 해 주고 획은 적용되지 않게 해 줍니다.

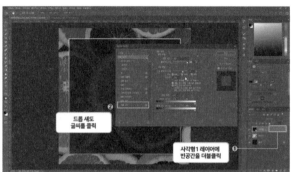

26. 사각형 레이어의 빈 공간을 더블 클릭해주고 레이어 스타일 창이 나오면 드롭섀도 메뉴를 클릭해줍니다. (꼭 드롭섀도 글씨를 클릭하세요)

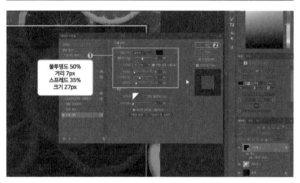

27. 불투명도는 50% / 거리 7px / 스프레드 35% / 크기 27px를 적용해줍니다.
또는 개인이 알맞은 크기와 불투명도 조절을 해주면 됩니다.

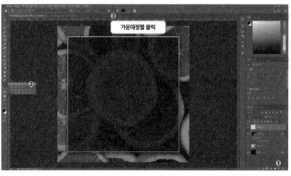

28. 레이어를 추가하고 툴바에 문자 도구를 클릭한 후 위에 옵션 바에서 가운데 정렬 버튼을 눌러줍니다.

29. 자몽의 비밀이라는 글씨를 넣어주고
Ctrl+A를 눌러서 전체 선택을 한 후
문자 패널에서 속성을 폰트 크기 187pt /
폰트 '조선일보명조' / 폰트 색상 #fff을
적용해 줍니다.
그리고 이동 도구를 눌러 완료 한 후
알맞은 위치를 잡아줍니다.

**폰트 크기나 폰트 종류는 원하는 대로
아무거나 해도 됩니다.

30. 레이어를 추가하고 툴바에 문자 도구를
클릭한 후 위에 옵션 바에서 가운데 정렬
버튼을 눌러줍니다.

31. '자몽의비밀' 글씨 밑에
뚱손주디음식정보 라는 글씨를 입력 후
Ctrl+A를 눌러서 문자패널에서
폰트 크기 47pt / 폰트 '조선일보명조' /
폰트 색상 #ff0949을 적용해 줍니다.
그리고 이동 도구를 눌러서 완료 후
중앙에 위치를 잡아줍니다.

**폰트 크기나 폰트 종류는 원하는 대로
아무거나 해도 됩니다.

32. 레이어를 추가하고 선도구를
클릭해 줍니다.

33. 옵션 바에서 칠 부분에 색상을
클릭해 나오는 옵션에서 색상 피커를
클릭해 준 뒤 색상을 #ff0949를 입력하고
확인을 눌러줍니다.
그리고 옵션 바에 두께 부분을 5 픽셀로
바꿔줍니다.

34. 먼저 드래그를 하면서 Shift를 눌러
직선으로 만들어 줍니다.
원하는 만큼 길이를 만들어줍니다.
그다음 이동 도구를 클릭해 줍니다.

35. 레이어 패널에서 Ctrl를 누른 상태로
글씨 레이어 2개와 선 모양의 레이어까지
3가지를 클릭하면서 일괄 선택을 해줍니다.

36. 그리고 옵션 바에 있는 수평 중앙 정렬
버튼을 눌러서 정렬을 해줍니다.

37. Ctrl+T를 눌러서 변형 도구가 나오면 위치를 중앙으로 잡아줍니다.
그리고 Enter를 눌러서 완료를 합니다.

38. Ctrl+Alt+Shift+S를 눌러 웹용으로 저장을 불러오거나 [파일]-[내보내기]-[웹용으로 저장]을 클릭해서 JPEG로 포맷을 설정하고 저장을 눌러서 원하는 폴더에 저장합니다.

인스타감성 물씬나는 이미지 만들기

인스타그램 느낌을 낼 수 있는 이미지로 프레임 하나를 만들어서 사진만 바꿔서 쓸 수 있는
유용한 이미지입니다.

- '가을여자' 블로그에서 소스 다운과 영상을 함께 보세요.
- '가을여자' 유튜브에서도 만들기 영상이 있습니다.

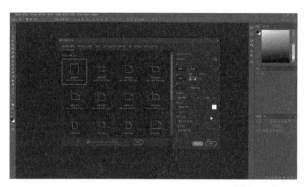

1. Ctrl+N을 누르거나 새로 만들기
버튼을 누르고 폭, 높이 모두
1080px / 해상도 72를 확인하고
제작을 클릭합니다.

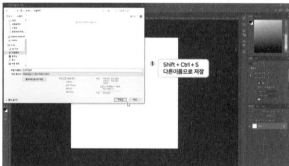

2. Ctrl+Shift+S를 눌러 다른 이름으로
저장합니다.
저장명은 '인스타감성'으로 하고
확인을 눌러줍니다.

3. Ctrl+O를 눌러서 파일 열기를 하거나
[파일]-[열기]를 눌러서Couple.jpg를 불
러옵니다.

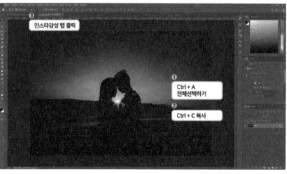

4. Ctrl+A를 눌러서 전체 선택을 한 뒤
Ctrl+C를 눌러서 복사를 한 뒤에
'인스타감성'탭을 클릭해서 돌아갑니다.

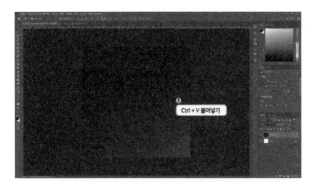

5. Ctrl+V를 눌러서 붙여 넣기를 해줍니다.

6. Ctrl+T를 눌러서 변형 도구가 나오면
Ctrl+숫자 0을 눌러서 전체 화면을
잡아줍니다.

7. 모서리에 꼭짓점을 누른상태로 이미지를
알맞게 줄여줍니다.
그리고 위치를 중앙으로 잡아줍니다.
그리고 Enter를 눌러서 완료를 합니다.

** 꼭 이미지에 딱 맞게 하지 않아도 됩니다.

8. 레이어를 추가하고 툴바에 사각형
도구를 클릭합니다.
그리고 나서 Ctrl+플러스(+)버튼을 눌러
가면서 작업화면 확대를 해서 조절합니다.

9. 드래그를 먼저 하며 Shift를 눌러
정사각형을 만들어 줍니다.
가로 세로 사이즈가 900px이 되면
완료를 합니다
혹은 원하는 알맞은 사이즈를 정해도
됩니다.

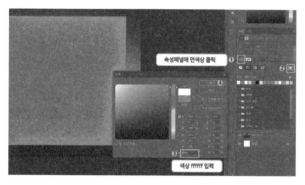

10. 사각형이 만들어지면
속성 패널에서 칠 색상을 클릭하고
색상 피커를 눌러 준 뒤에 #fff를
입력하고 확인을 눌러줍니다.

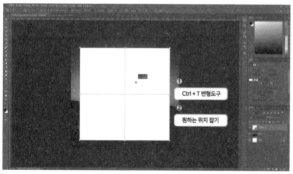

11. 색상을 변경했다면 Ctrl+T를
눌러서 변형 도구가 나오면 중앙으로
위치를 바꿔주고 Enter를 눌러
완료합니다.

12. 레이어를 추가한 뒤에 툴바에
사각형 도구를 클릭합니다.

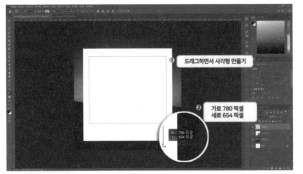

13. 드래그를 하며 사각형을 만들면서 사진이 들어갈 부분을 만들어 줍니다. 책에 나온 사이즈는 가로 780픽셀/세로 654픽셀입니다. 꼭 똑같이 하지 않아도 되지만 알맞게 사진이 다시 들어갈 부분만 만들어 주시면 됩니다.

14. 사각형을 만들고 난 뒤에 속성 패널에서 칠색상을 클릭하고 색상 피커를 클릭한 뒤 #000을 입력해주고 확인을 눌러줍니다.

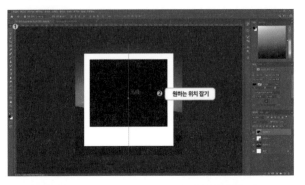

15. 이동 도구를 눌러서 검은색 사각형을 중앙으로 알맞게 원하는 위치를 잡아줍니다.

16. 레이어 패널에서 처음에 불러온 레이어 1(couple.jpg)를 클릭하고 Ctrl+J를 눌러서 레이어를 복사해줍니다.

17. 복사가 된 레이어를 제일 위로
끌어올려줍니다.

18. 위로 올린 레이어를 오른쪽 마우스를
클릭해줍니다.

19. 클리핑 마스크를 클릭해 줍니다.

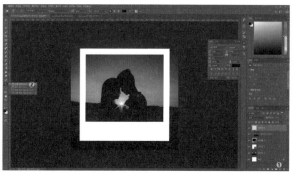

20. 레이어를 추가하고 툴바에
문자 도구를 클릭해 줍니다.

21. 왼쪽 부분을 클릭하고 텍스트를
입력해줍니다.
'좋아요 15,999개'라고 입력합니다.
책에 나온 폰트 크기는 35pt / 폰트명
'나눔 스퀘어'/ 폰트 색상 #000입니다.
입력 후 이동 도구 눌러서 완료 합니다.
그리고 위치를 잡아줍니다.

22. 레이어를 추가하고 툴바에 문자 도구를
클릭해 줍니다.

23. 좋아요 글씨 밑에 클릭하고 텍스트를
입력해줍니다.
'본인 인스타그램 아이디' 또는
원하는 아이디나 이름을 넣어줍니다.
책에 나온 폰트 크기는 42pt / 폰트명
'나눔 스퀘어'/ 폰트 굵기 Extrabold /
폰트 색상 #000입니다.
입력 후 글씨 위치를 '좋아요..'
글씨 밑에 왼쪽으로 정렬을 잡아 줍니다.

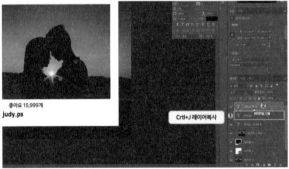

24. 레이어 패널에서 방금 쓴
글씨 레이어를 클릭하고 Ctrl+J를 눌러
레이어 복사를 해줍니다.

25. 이동 도구를 클릭한 뒤에 복사한
글씨를 클릭을 하면서 옆으로
이동시키면서 Shift를 눌러
그대로 이동해줍니다.

26. 이동한 글씨 텍스트를
더블 클릭해주고 글씨가 전체 선택이
되면 글씨의 굵기만 Regular로
변경해주고 내용을 입력 후 이동도구를
다시 클릭해 줍니다.

** 내용은 아무내용이나 상관없이
한줄입력도 가능합니다.
** 책내용의 내용은 #로맨스영화추천
#사랑영화추천입니다.

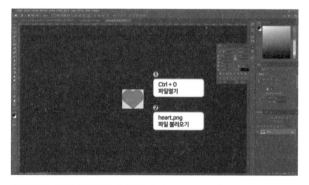

27. Ctrl+O를 눌러서 파일 열기를
하거나 [파일]-[열기]를 눌러
heart.png파일을 불러옵니다.

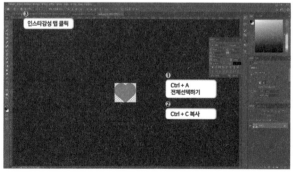

28 .Ctrl+A를 눌러서 전체 선택을 하고
Ctrl+C를 눌러서 복사를 한 뒤에
'인스타감성' 탭으로 돌아갑니다.

29. Ctrl+V를 눌러서 붙여 넣기를 해줍니다.

30. 이동 도구로 좋아요 글씨 왼쪽으로
이동 시켜준 뒤 Ctrl+T를 눌러
변형 도구를 불러옵니다.

31. 원하는 크기를 알맞게 조절을 한 후
Enter를 눌러 완료하고,
이동 도구를 클릭해서 위치를 다시 한번
조절해줍니다.

**키보드의 방향키로 조절 하면
더 세밀하게 조절 가능합니다.

32. 이동 도구를 클릭 후 마지막으로
글씨 위치나 마무리로 정리를 합니다.

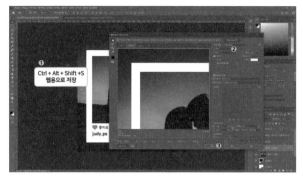

33. Ctrl+Alt+Shift+S를 눌러
웹용으로 저장을 불러오거나
[파일]-[내보내기]-[웹용으로 저장]을
클릭해 JPEG로 포맷을 설정하고
저장을 눌러 원하는 폴더에
저장합니다.

눈에 띄는 유튜브 썸네일 만들기

유튜브에 텍스트를 이용해 눈에 띄는 썸네일을 만들어 봅니다.
다양하게 변형하며 쓸 수 있는 아주 기본적인 템플릿입니다.

● '가을여자' 블로그에서 소스 다운과 영상을 함께 보세요.
● '가을여자' 유튜브에서도 만들기 영상이 있습니다.

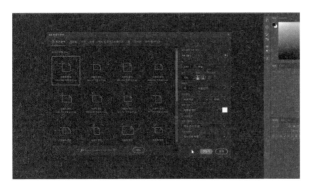

1. Ctrl+N을 누르거나 새로 만들기
버튼을 누르고 폭 1280픽셀 / 높이 720
픽셀 / 해상도 72를 확인하고 제작을
클릭합니다.

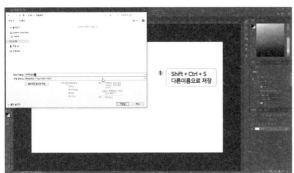

2. Ctrl+Shift+S를 눌러서 다른 이름으로
저장합니다.
저장명은 '유튜브썸네일'로 하고
확인을 눌러줍니다.

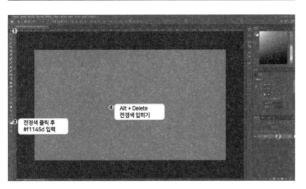

3. 이동 도구를 눌러서 배경 레이어를
클릭한 뒤에 전경 색을 클릭하고 #f1145d
를 입력한 뒤 확인을 눌러 줍니다.
그리고 Alt+Delete를 눌러서 전경 색을
입혀줍니다.

4. 레이어를 추가하고 모서리가 둥근
직사각형 도구를 클릭한 뒤에 기존
이미지 사이즈 보다 살짝 작은
크기만큼 드래그를 해서 사각형을
만들어 줍니다.

5. 속성 패널에서 칠색상을 클릭하고
색상 피커를 클릭해줍니다.
그리고 #fff를 입력한 뒤
확인을 눌러 색상을 바꿔 줍니다.

6. 색상을 바꿔주었다면 속성 패널에서
반경을 50픽셀로 바꿔줍니다.

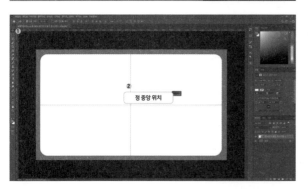

7. 이동 도구를 클릭하고 만든 사각형을
정 중앙으로 위치해줍니다.

8. Ctrl+O를 눌러서 파일 열기를 하거나
[파일]-[열기]를 눌러 movie.jpg를
불러옵니다.

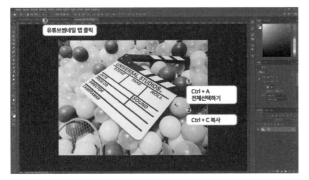

9. Ctrl+A를 눌러서 전체 선택을 한 뒤 Ctrl+C를 눌러서 복사하고 '유튜브썸네일' 탭으로 다시 돌아갑니다.

10. Ctrl+V를 눌러서 붙여 넣기를 한 후 Ctrl+T를 눌러서 변형 도구가 나오면 Ctrl+숫자 0을 눌러서 전체 화면을 잡아 줍니다.

11. 모서리 꼭짓점 부분을 잡고 이미지를 줄여줍니다. 원하는 위치를 잡고 Enter를 눌러 완료합니다. 이미지는 꼭 딱 맞게 하지 않고 넉넉하게 잡는 게 좋습니다.

12. 줄어든 작업화면을 다시 되돌리기 위해 Ctrl+ +(플러스)를 눌러 작업화면을 확대해 줍니다.

13. 불러온 사진 레이어를 클릭하고
오른쪽 마우스 클릭해서
클리핑 마스크 만들기를 눌러줍니다.

14. 불러온 레이어 1은 불투명도 49%로
조절해 줍니다.

15. 레이어를 추가하고 문자 도구를
클릭한 뒤에 가운데를 클릭해
글씨를 넣어줍니다.
문구는 '연인들이 보기좋은'이라고
입력합니다.

16. Ctrl+A를 눌러서 전체 선택을 한 후에
문자 패널에서 폰트 크기는 105pt / 폰트
'레시피코리아' / 폰트 색상은 #ffd965입니다.
원하는 글씨 크기와 폰트를 정하셔도 됩니다.
글씨를 다 입력했다면 이동 도구를 눌러
완료하고 레이어 패널에서 방금 생성된
글씨 레이어에 빈 공간을 더블 클릭해
레이어스타일을 불러옵니다.
또는 레이어 밑에 메뉴에 fx라고 된 부분을
눌러 혼합 옵션을 클릭해서 레이어 스타일을
불러옵니다.

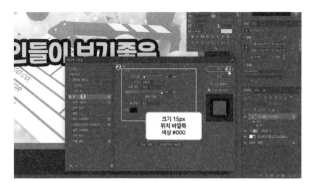

17. 레이어 스타일에서
획 메뉴 글씨를 눌러준 뒤
크기는 15px / 위치는 바깥쪽 /
색상은 #000으로 설정하고
확인을 눌러줍니다.
알맞게 가운데로 위치를
이동 시켜줍니다.

18. 레이어를 추가하고 문자 도구를
클릭해 줍니다.
'연인들이 보기좋은' 글씨 밑에
클릭해 '영화추천TOP10'이라는
글씨를 입력합니다.

19. 폰트 크기는 151pt / 폰트 '레시피코
리아' / 폰트 색상은 #f1145d입니다.
원하는 글씨 크기와 폰트를 정해도
됩니다. 글씨를 다 입력했다면
이동 도구를 눌러서 완료하고
입력된 글씨 레이어에 빈 공간을
더블 클릭해 레이어스타일을
불러옵니다. 또는 레이어 밑에 메뉴에
fx라고 된 부분을 눌러서 혼합 옵션을
클릭해 레이어 스타일을 불러옵니다.

20. 레이어 스타일에서 획 메뉴 글씨를
눌러준 뒤에 크기는 15px / 위치는
바깥쪽 / 색상은 #000으로 설정하고
확인을 눌러줍니다.
알맞게 가운데로 위치를
이동 시켜줍니다.

21. 레이어를 추가하고 사각형 도구를 클릭합니다.

22. '연인들이 보기좋은' 글씨를 덮을 만큼만 드래그 해서 사각형을 만들어 줍니다.

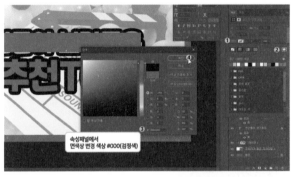

23. 속성 패널에서 칠색상을 클릭하고 색상 피커를 클릭한 뒤에 색상을 #000으로 바꾸고 확인을 눌러줍니다.

24. 레이어 패널에서 만들어진 사각형 1 레이어를 끌어서 '연인들이 보기좋은'글씨 레이어 밑으로 내려서 글씨 뒤로 보내줍니다.

25. 레이어를 추가하고
사각형 도구를 클릭해줍니다.

26. 아까처럼 이번에는
'영화추천TOP10'의 글씨를
덮을 만큼만 사각형을 드래그해서
만들어줍니다.

27. 이번에는 속성 패널에서
칠 색상을 클릭하고
최근 사용한 색상을 클릭합니다.
(검은색 클릭)

28. 아까와 마찬가지로 사각형 레이어를
이번에는 기존에 있던 사각형 1 레이어
밑으로 끌어서 보내줍니다.
이동도구를 클릭해서 완료 합니다.

29. Ctrl를 누르면서 마우스로 사각형
1,2 레이어와 글씨 레이어를 각각 클릭해서
일괄 선택을 해준 뒤 Ctrl+T를 눌러
변형 도구가 나오면 원하는 위치를
잡아줍니다.
Enter를 눌러서 완료합니다.
그리고 일괄 선택된 레이어를
풀어 주기 위해서 아무 레이어나 클릭해
일괄 선택을 풀어 줍니다.

30. 사각형 2 레이어를 클릭하고 Ctrl+T를
눌러서 Shift를 눌러서 글씨에 가려지도록
양옆을 줄여줍니다.
원하는 크기만큼 조절을 해준 뒤
Enter를 눌러서 완료합니다.

31. 레이어를 추가하고 모서리가 둥근
직사각형 도구를 클릭해 줍니다.

32. '영화추천TOP10' 글씨 밑에
드래그를 해서 원하는 만큼 사각형을
만들어 줍니다.

33. 속성 패널에서 반경 크기를
최대한 높은 숫자를 입력해서
완전히 둥글게 만들어 줍니다.

** 저는 100을 입력했고 그럼 반경이
최대 값이 나타납니다.

34. 속성 패널에서 칠 색상은
#f1145d으로 바꿔주고 획은
최근 사용한 색상에 검은색을
클릭해 줍니다.

35. 획 크기를 10픽셀로 하거나
원하는 크기만큼 설정을 해줍니다.
그리고 Enter 또는 이동 도구를 눌러서
완료합니다.
그리고 위치를 중앙으로 놓습니다.

36. 레이어를 추가하고 문자 도구를
클릭한 뒤에 방금 만든 모서리가
둥근 직사각형 위에 클릭을 해서
'공포영화부터 로맨스영화까지'라는
문구를 입력해 줍니다.

37. Ctrl+A를 눌러서 전체 선택을 하고
문자 패널에서 폰트 크기는 50pt /
폰트 '레시피코리아' / 폰트 색상 #000으로
선택을 해줍니다.
그리고 이동 도구를 눌러서 완료합니다.
위치를 중앙으로 잡아줍니다.

38. 이동 도구를 누른 상태에서
'영화추천TOP10'에 글씨를 더블 클릭해
전체 선택을 해줍니다.

39. '영화추천'이라는 글씨 부분만
다시 드래그를 해준 뒤 문자 패널에서
색상 부분을 클릭해줍니다.

40. 색상 피커가 나오칠 색상은 #fff를
입력해주고 확인을 눌러서
색상을 바꿔줍니다.

41. 이동 도구를 눌러 주고 원하는
위치를 조절을 다 해준 뒤에
Ctrl+Alt+Shift+S를 눌러
웹용으로 저장을 하거나
[파일]-[내보내기]-[웹용으로 저장]
이라는 메뉴를 클릭해 줍니다.

42. JPEG로 선택하고 저장을 눌러서
원하는 폴더에 저장을 해줍니다.

돋보기 효과를 이용한 홍보 이미지

돋보기 모양으로 확대한 보여주는 이미지로 눈에 띄어야 하는 부분을 더 강조할
수 있는 효과입니다.

- '가을여자' 블로그에서 소스 다운과 영상을 함께 보세요.
- '가을여자' 유튜브에서도 만들기 영상이 있습니다.

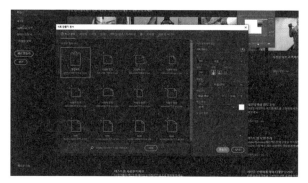

1. Ctrl+N을 누르거나 새로 만들기
버튼을 누르고 폭 900픽셀 /
높이 700픽셀 / 해상도 72를
확인하고 제작을 클릭합니다.

2. Ctrl+Shift+S를 눌러
다른 이름으로 저장을 합니다.
저장명은 '돋보기'로 하고 확인을
눌러줍니다.

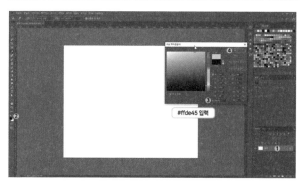

3. 배경 레이어를 클릭하고 전경 색을
클릭한 뒤에 색상 피커가 나오면
#ffde45를 입력하고 확인을 눌러줍니다.

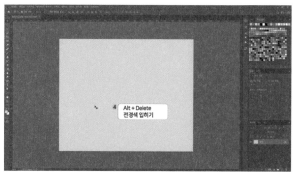

4. Alt+Delete를 눌러서 전경 색을
배경 레이어에 입혀줍니다.

5. 레이어를 추가하고 사각형 도구를
클릭해 줍니다.

6. 아랫부분을 드래그하면서 사각형을
만들어 줍니다.

7. 속성 패널 > 칠 색상을 클릭하고
색상 피커를 눌러줍니다.
그리고 #ff5245를 입력해서
확인을 눌러줍니다.

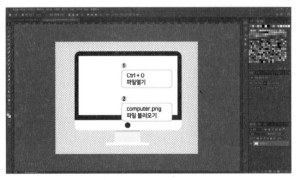

8. Ctrl+O를 눌러서 파일 열기를 하거나
[파일]-[열기]를 눌러서
computer.png 파일을 불러옵니다.

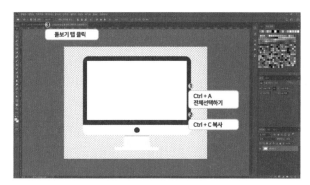

9. Ctrl+A를 눌러서 전체 선택을 하고 Ctrl+C를 눌러서 복사를 한 뒤에 돋보기 탭을 클릭해서 돌아갑니다.

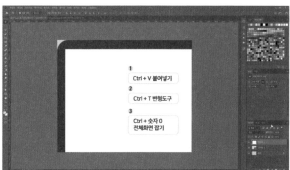

10. Ctrl+V를 눌러서 붙여 넣기를 한 후 Ctrl+T를 눌러서 변형 도구가 나오면 Ctrl+ 숫자 0을 눌러서 이미지를 다 잡아줍니다.

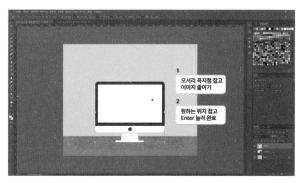

11. 모서리 부분을 잡고 알맞은 크기로 줄여주고 가운데로 위치를 잡은 뒤에 Enter를 눌러서 완료를 합니다.

12. 툴바에 자동선택 도구를 클릭한 뒤에 레이어 1의 모니터 그림에 화면이 되는 흰색 부분을 클릭해서 선택 도구가 활성화가 되는 걸 확인합니다.

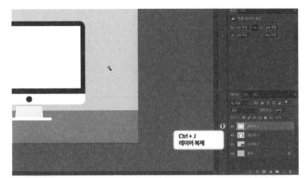

13. Ctrl+J를 눌러서 레이어를 복제합니다.

14. Ctrl+O를 눌러서 파일 열기를 하거나 [파일]-[열기]를 눌러서 이미지013.jpg를 불러옵니다.

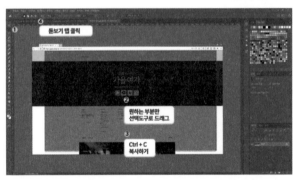

15. 사각형 선택 윤곽 도구를 클릭하고 원하는 부분만 선택 도구로 드래그를 해준 뒤 Ctrl+C 를 눌러서 복사합니다. 그리고 돋보기 탭을 눌러서 돌아갑니다.

16. Ctrl+V를 눌러서 붙여 넣기를 한 후에 Ctrl+T를 눌러서 변형 도구가 나오면 Ctrl+숫자 0을 눌러서 전체 화면을 잡아줍니다.

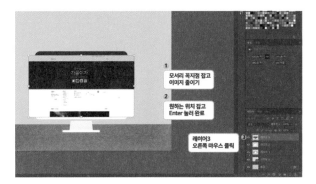

17. 모서리 부분을 잡고 알맞은 크기로 줄여줍니다.
모니터 이미지에 화면 부분을 덮을 정도만 줄여주고 위치를 잡은 뒤 Enter를 눌러서 완료합니다.
그리고 레이어 3의 오른쪽 마우스를 클릭해 줍니다.

18. 클리핑 마스크를 눌러줍니다.

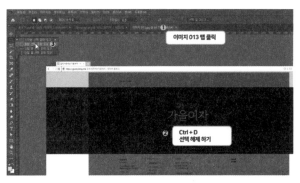

19. 다시 '이미지013.jpg'의 탭을 클릭한 뒤에 Ctrl+D를 눌러서 선택 해제를 한 후 원형 선택 윤곽 도구를 클릭해 줍니다.

20. 확대가 되려는 부분을 원형으로 드래그하면서 Shift를 눌러서 정 원으로 선택을 해줍니다.

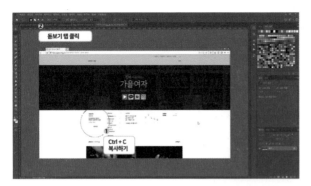

21. Ctrl+C를 눌러서 복사한 뒤에 돋보기 탭을 눌러서 돌아갑니다.

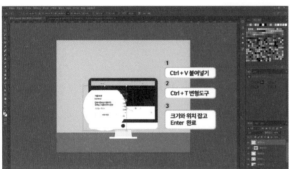

22. Ctrl+V를 눌러서 붙여 넣기를 한 후 Ctrl+T를 눌러서 변형 도구가 나오면 크기와 위치를 잡고 나서 Enter를 눌러줍니다.

23. 붙여넣기 한 레이어 4의 빈 공간을 더블클릭해서 레이어스 타일을 불러옵니다.

24. 드롭 섀도 메뉴를 클릭한 뒤에 혼합 모드는 표준으로 놓고 불투명도 45% / 거리 9px / 스프레드 11% / 크기 18px으로 놓습니다.

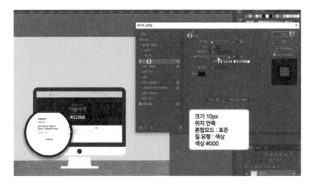

25. 그리고 획 메뉴를 클릭한 후에
크기 10px / 위치는 안쪽 / 혼합 모드는
표준 / 칠 유형 색상 / 색상 #000으로
놓고 확인을 눌러줍니다.

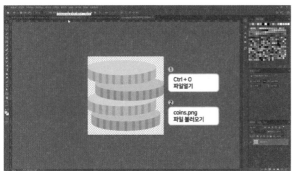

26. 이동 도구를 클릭하고 Ctrl+O를
눌러 파일 열기를 하거나 [파일]-[열기]를
해서 coin.png 파일을 불러옵니다.

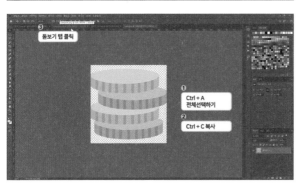

27. Ctrl+A를 눌러서 전체 선택을 한 뒤
Ctrl+C를 눌러서 복사를 한 뒤에
돋보기 탭을 클릭해서 돌아갑니다.

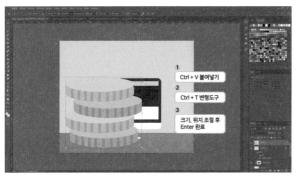

28. Ctrl+V를 눌러서 붙여 넣기를 한 후
Ctrl+T를 눌러 변형 도구가 나오면
크기를 줄여주고 위치를 왼쪽으로
잡아준 뒤 Enter를 눌러서 완료합니다.

29. 레이어 5를 끌어 내려서 레이어 4 뒤로
보내줍니다.
(동전 그림 레이어를 모니터 레이어 뒤로 보
내줍니다.)

30. 레이어 5(동전 그림) 레이어를 클릭하고
Ctrl+J를 눌러서 레이어 복제를 해줍니다.

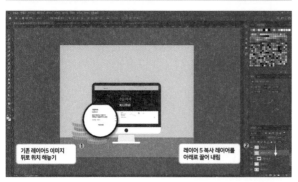

31. 복사한 레이어 5 복사를 기존에
레이어5의 뒤로 보내기 위해서 레이어를
끌어 내리면서 뒤로 보내줍니다.
그리고 레이어5를 클릭해서 이동 도구로
오른쪽으로 살짝 이동 시켜 줍니다.

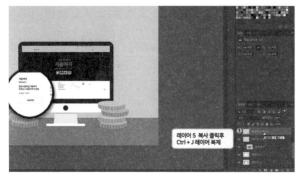

32. 이번에도 동전그림인 레이어 5 복사를
클릭 후 Ctrl+J를 눌러서 복제를 해줍니다.

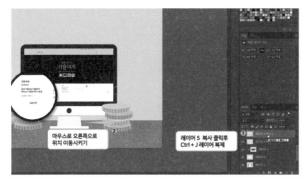

33. 복사한 레이어를 이동 도구를
눌러 오른쪽으로 이동을 시켜줍니다.

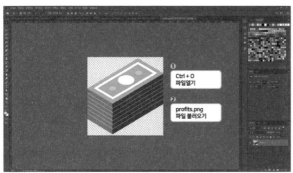

34. Ctrl+O를 눌러서 파일 열기를
하거나 [파일]-[열기]를 해서
profits.png 파일을 불러옵니다.

35. Ctrl+A를 눌러서 전체 선택을 한 뒤
Ctrl+C를 눌러서 복사를 한 뒤에
돋보기 탭을 클릭해서 돌아갑니다.

36. Ctrl+V를 눌러서 붙여 넣기를 한 후
Ctrl+T를 눌러 변형 도구가 나오면
변형 도구 안쪽에 오른쪽 마우스를 클릭
하고 '가로로 뒤집기'를 클릭해 줍니다.
크기 조절을 한 후에 오른쪽으로
이동시키고 Enter를 눌러서 완료합니다.

37. 레이어 6을 '레이어 5 복사 2' 밑으로
끌어 내려서 뒤로 보내줍니다.

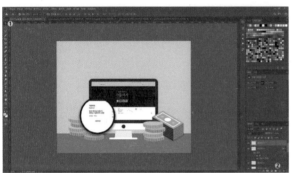

38. 이동 도구를 클릭하고 레이어를
추가합니다.

39. 문자 도구를 클릭해주고 가운데 상단에
'고정수익 가능한 재택알바'라는 문구를
입력해줍니다.
Ctrl+A를 눌러서 전체 선택을 하고 일괄적으
로 폰트를 수정해줍니다 문자 패널에서 폰트는
'나눔바른고딕' / 굵기는 Light / 크기 77pt /
색상 #000으로 변경합니다.

40. '고정수익' 부분만 다시 드래그를 해서 굵기
만 Bold로 변경을 해주고 이동 도구를
눌러서 완료합니다.

41. 이동 도구를 눌러주고 글씨를
중앙으로 이동시켜서 정렬해줍니다.

42. 레이어를 추가하고 문자 도구를
클릭한 뒤에 '고정수익....' 글씨 위를
클릭 후 '조건이 까다롭지 않은 포스팅
알바'라는 글씨를 입력해 줍니다.
Ctrl+A를 눌러서 전체 선택을 하고
일괄적으로 수정해줍니다.
폰트'나눔바른고딕' / 굵기 Light /
크기 35pt / 색상 #000으로 변경합니다.
이동 도구를 눌러서 완료 후 알맞은
위치를 잡아줍니다.

43. 레이어를 추가 후 사각형 도구를
클릭해 주고 상단에 적은
'조건이 까다롭지...'라는 글씨가
덮일 정도만 드래그해서 사각형을
만들어 줍니다.
그리고 속성 패널에서 칠 색상을
#000으로 변경해 줍니다.

44. 사각형 1 레이어를
'조건이 까다롭지...'의 글씨 레이어
밑으로 끌어서 뒤로 보내줍니다.

45. 이동 도구를 눌러 주고 원하는 위치를
조절을 다 해준 뒤에
Ctrl+Alt+Shift+S를 눌러서
웹용으로 저장을 하거나
[파일]-[내보내기]-[웹용으로 저장]이라는
메뉴를 클릭해 줍니다.

46. JPEG로 선택하고 저장을 눌러서
원하는 폴더에 저장을 해줍니다.

study05

블로그 꾸미기에 필수! 기본 스킨 만들기

블로그에 기본적으로 적용을 할 수 있는 가장 기본적인 블로그 스킨을 만들어보고 적용하는 방법까지 알아보겠습니다. 블로그 스킨 만들기는 꼭 영상과 함께 보는 걸 추천합니다.

- '가을여자' 블로그에서 소스 다운과 영상을 함께 보세요.
- '가을여자' 유튜브에서도 만들기 영상이 있습니다.

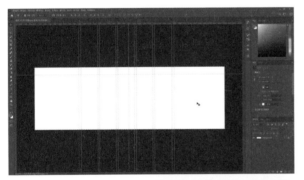

1. 블로그이미지 폴더에 있는 블로그스킨기본틀.psd 파일을 열어줍니다.

2. Shift+Ctrl+S를 눌러서 다른 이름으로 저장을 해서 '블로그 스킨'이라는 이름으로 원하는 폴더에 저장을 합니다.

** 가이드라인이 들어있는 PSD 파일을 유지하기 위해서 다른 이름으로 저장해서 파일이 손상되지 않게 하기 위함입니다.

3. 이동 도구를 클릭 후 배경 레이어를 클릭한 뒤에 전경 색을 클릭하고 #131c29를 입력 후 확인을 눌러 줍니다. 그리고 Alt+Delete를 눌러서 전경 색을 배경 레이어에 입혀 줍니다.

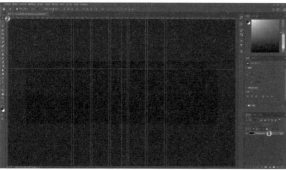

4. 배경 레이어를 클릭된 상태에서 이동 도구를 클릭합니다.

5. 레이어를 추가한 후 사각형 도구를 클릭해줍니다.

6. 가로로 된 가이드라인까지만 넉넉히 사각형을 드래그해서 만들어 줍니다.

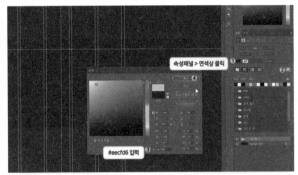

7. 속성 패널에서 칠 색상을 클릭 후 색상 피커를 클릭합니다.
그리고 #eecfd6을 입력해서 확인을 눌러줍니다.

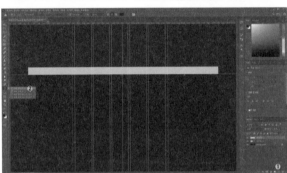

8. 레이어를 추가 후 문자 도구를 클릭해 줍니다.

9. 중앙 부분을 클릭 후 '가을여자 채널 사용설명서' 또는 다른 문구를 넣어 줍니다.
폰트 크기는 55pt / 폰트는 'G마켓산스' / 굵기 Light / 폰트 색상은 #fff 또는 본인에게 맞는 폰트와 글씨를 넣어줍니다.

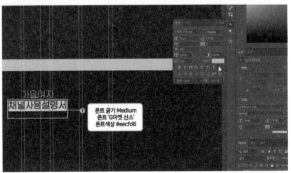

10. '채널사용설명서' 부분 글씨만 다시 드래그를 해서 굵기는 Medium / 색상 #eecfd6으로 변경해줍니다.

11. 이동 도구를 클릭 후 글씨를 중간으로 위치를 해 놓습니다.

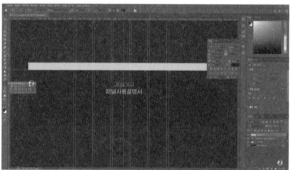

12. 레이어를 추가한 후 문자 도구를 클릭해 줍니다.

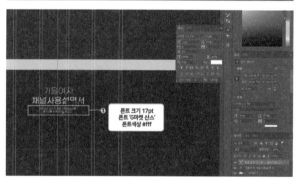

13. 폰트는 'G마켓산스' / 크기는 '17pt / 색상은 #fff으로 설정하고 멘트는 아무렇게나 두줄을 입력해줍니다. 그리고 이동 도구를 눌러서 완료합니다.

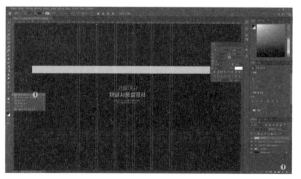

14. 레이어를 추가하고 사각형 도구를 클릭해 줍니다.

15. 드래그를 하면서 Shift를 눌러주고 정사
각형을 만들어 줍니다. 알맞게 작은 사이즈
로 만들어 줍니다.

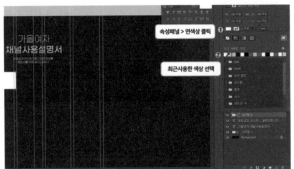

16. 속성 패널에서 칠색상은 최근 사용한 색
상 중에 아무거나 선택을 해줍니다.

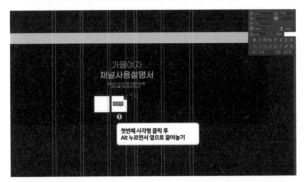

17. 이동 도구를 클릭 후
첫 번째 사각형을 클릭한 뒤 Alt를 누르면서
옆으로 끌어놓으면서 복제를 하면서 Shift를
눌러서 정렬을 맞춰 줍니다.

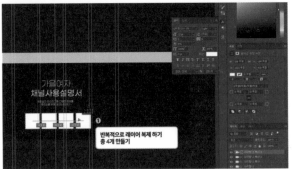

18. 반복적으로 레이어를 이렇게 정렬하면
서 복제를 하면서 총 4개의 사각형을 만들
어 줍니다.

** 끌어놓으면서 만들기가 어렵다면 레이어
패널에서 사각형 2 레이어를 클릭 후 Ctrl+J
를 눌러서 레이어 복제를 한 후 이동 도구로
정렬에 맞게 이동시키면서 복제를 해줍니다.

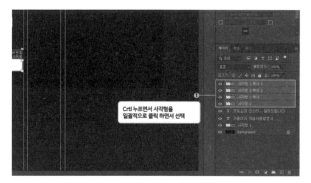

19. 레이어 패널에서 Ctrl를 누르면서 만들어 놓은 사각형 2 레이어와 복사본들 까지 총 4개의 레이어를 클릭하면서 일괄 선택을 해줍니다.

20. Ctrl+T를 눌러서 변형 도구가 나오면 알맞은 크기 조절과 위치를 중앙으로 놓아서 맞춰줍니다. 그리고 Enter를 눌러서 완료합니다.

**중앙 정렬은 꼭 가이드라인에서 중앙 라인을 맞춰서 놓습니다.

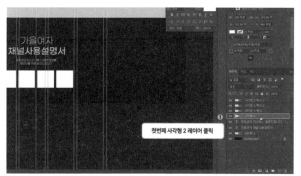

21. 첫 번째 사각형 2 레이어를 클릭해줍니다.

22. Ctrl+O를 눌러서 파일 열기를 하거나 [파일]-[열기]를 해서 블로그이미지 폴더에 있는 1.jpg 파일을 불러옵니다.

23. 메뉴바에서 이미지 > 이미지 크기 메뉴를 클릭해 줍니다.
단축키는 Alt+Ctrl+I를 눌러서 불러옵니다.

24. 이미지 크기를 폭 부분에 300을 입력해 줍니다. 자동으로 높이는 조절이 됩니다. 그리고 확인을 눌러서 완료합니다.

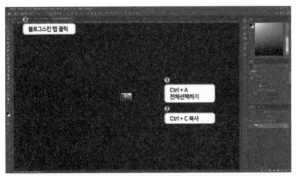

25. Ctrl+A를 눌러서 전체 선택을 해주고 Ctrl+C를 눌러서 복사를 한 후 블로그스킨 탭을 클릭해서 이동합니다.

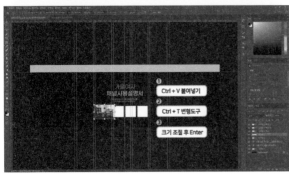

26. Ctrl+V로 붙여 넣기를 한 후 Ctrl+T를 눌러서 변형 도구가 나오면 사각형이 가려질 만큼만 알맞게 크기와 위치를 조절해줍니다.

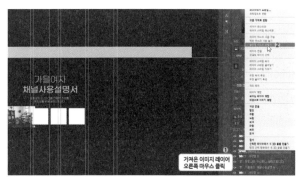

27. 가져온 이미지레이어를 오른쪽 마우스를 클릭해서 클리핑 마스크를 만들어 줍니다.

28. 레이어 패널에서 이번에는 두 번째 사각형 2 복사를 클릭해 줍니다.

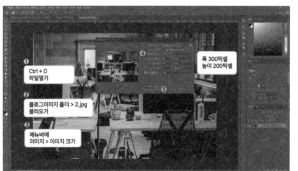

29. 아까와 동일하게 Ctrl+O를 눌러서 파일 열기를 하거나 [파일]-[열기]를 해서 블로그 이미지 폴더에 있는 2.jpg 파일을 불러옵니다.

그리고 메뉴바에서 이미지 > 이미지 크기를 클릭해서 이미지 사이즈에 폭만 300으로 바꿔 준 후 확인을 눌러줍니다.

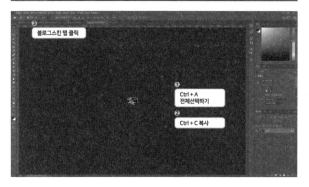

30. Ctrl+A를 눌러서 전체 선택을 해주고 Ctrl+C를 눌러서 복사를 한 후 블로그스킨 탭을 클릭해서 이동합니다.

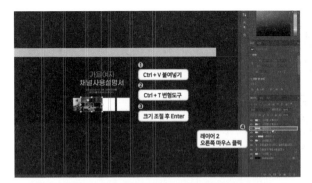

31. Ctrl+V로 붙여 넣기를 한 후 Ctrl+T를 눌러서 변형 도구가 나오면 사각형이 가려질 만큼만 알맞게 크기와 위치를 조절해줍니다. 그리고 레이어 패널에서 불러온 이미지 레이어의 오른쪽 마우스를 클릭해 줍니다.

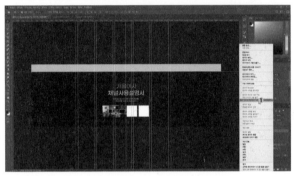

32. 아까와 동일하게 클리핑 마스크를 만들어 줍니다.

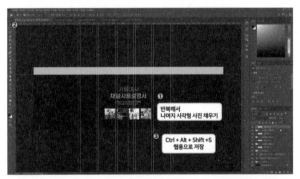

33. 반복해서 나머지 사각형도 사진으로 채워 줍니다.
다 채워졌다면 이동 도구를 눌러주고 Crtl+Alt+Shift+S를 눌러서 웹용으로 저장을 합니다.
또는 [파일]-[내보내기]-[웹 용으로 저장]을 눌러 줍니다.

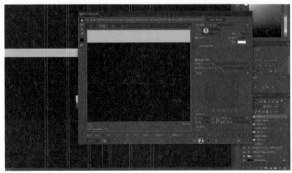

34. JPEG로 선택하고 저장을 눌러서 원하는 폴더에 저장을 해줍니다.

[블로그에 적용하기]

35. 블로그에 접속 후 오른쪽 상단에 내 메뉴 〉 세부 디자인 설정이라는 메뉴를 클릭합니다.

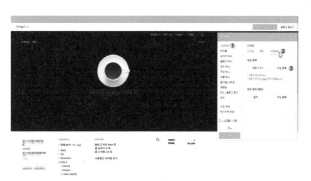

36. 스킨 배경 메뉴에서 직접 등록을 누른 뒤 파일 등록을 클릭합니다. 그리고 우리가 저장한 이미지 파일을 불러옵니다.

37. 적용이 되면 타이틀이라는 메뉴에서 블로그 제목은 표시를 해제하고 아래 디자인 컬러 부분에 색상 없음 아이콘을 클릭해 줍니다.

38. 그리고 타이틀에 영역 높이는 450으로 수정합니다.
그리고 적용을 누르면 블로그 스킨이 적용이 완료되었습니다.

**블로그 스킨 기본 틀은 가로는 고정이지만 세로는 원하는 크기만큼 늘려서 쓸 수 있습니다.
**블로그 스킨 크기에 따라 타이틀 크기와 투명 위젯 등을 사용해야 할 수 있습니다.

클리핑 마스크로 이미지 바꿔가며 쓰는 템플릿

블로그에 기본적으로 적용을 할 수 있는 가장 기본적인 블로그 스킨을 만들어보고 적용하는 방법까지 알아보겠습니다.

- ● '가을여자' 블로그에서 소스 다운과 영상을 함께 보세요.
- ● '가을여자' 유튜브에서도 만들기 영상이 있습니다.

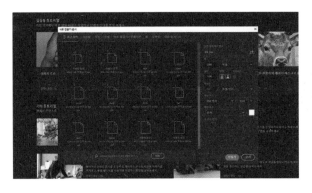

1. Ctrl+N을 누르거나 새로 만들기 버튼을 누르고 폭과 높이 모두 1080픽셀 / 해상도 72를 확인하고 제작을 클릭합니다.

2. Ctrl+Shift+S를 눌러서 다른 이름으로 저장을 합니다.
저장명은 '클리핑마스크'로 하고 확인을 눌러줍니다.

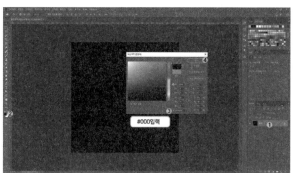

3. 배경 레이어를 클릭하고 전경 색을 클릭한 뒤 #000을 입력하고 확인을 눌러줍니다. 그다음 Alt+Delete를 눌러서 전경 색을 입혀줍니다.

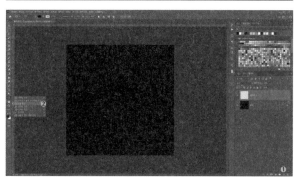

4. 레이어를 추가하고 타원 도구를 클릭합니다.

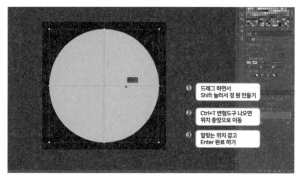

5. 드래그하면서 Shift를 눌러서 정 원을 만들어 주고 Ctrl+T를 눌러서 변형 도구가 나오면 중앙으로 위치시켜놓고 알맞은 크기를 잡은 후 Enter를 눌러서 완료합니다.

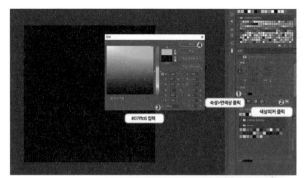

6. 속성 패널 > 칠 색상을 클릭하고 색상 피커를 클릭한 뒤 #07ffc6 입력하고 확인을 눌러 줍니다.

7. 타원 1 레이어의 빈 공간을 더블 클릭해서 레이어 스타일을 불러옵니다.

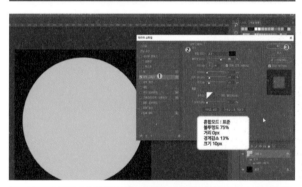

8. 내부 그림자 메뉴를 클릭하고 혼합 모드 표준 / 불투명도 75% / 거리 0px / 경계 감소 13% / 크기 10px로 놓고 확인을 눌러 줍니다.

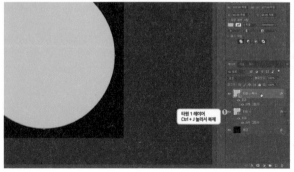

9. 타원 1 레이어를 클릭된 상태에서 Ctrl+J를 눌러서 레이어를 복제합니다.

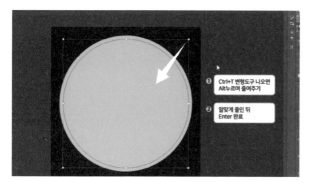

10. 타원 1 복사 레이어가 클릭된 상태에서 Ctrl+T를 눌러서 변형 도구가 나오면 Alt를 누르고 마우스로 크기를 줄여 줍니다. 그리고 Enter를 눌러서 완료해줍니다.

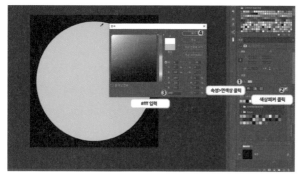

11. 속성 패널에서 칠 색상 클릭 후 색상 피커를 클릭해 주고 #fff를 입력하고 확인을 눌러줍니다.

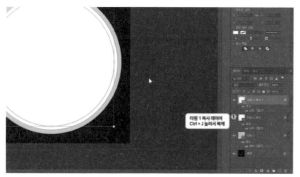

12. 타원 1 복사 레이어를 클릭하고 Ctrl+J를 눌러서 복제를 해줍니다.

13. 복제가 된 레이어를 클릭하고 Ctrl+T를 눌러서 변형 도구가 나오면 Alt를 누르면서 마우스로 크기를 줄여주고 Enter를 눌러서 완료합니다.

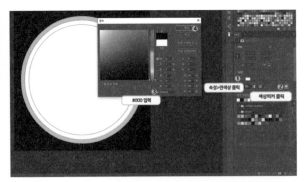

14. 속성 패널에서 칠 색상을 클릭하고 색상 피커를 클릭한 뒤 #000을 입력하고 확인을 눌러줍니다.

15. 이동 도구를 눌러줍니다.

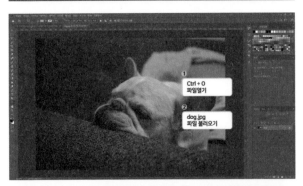

16. Ctrl+O를 눌러서 파일 열기를 하거나 [파일]-[열기]를 눌러서 dog.jpg를 불러옵니다.

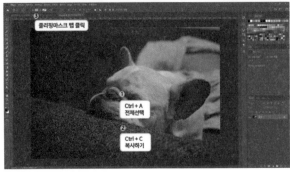

17. Ctrl+A를 눌러서 전체 선택을 하고 Ctrl+C를 눌러서 복사를 한 뒤 클리핑 마스크 탭을 클릭해서 이동합니다.

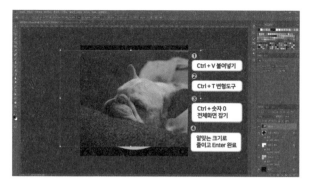

18. Ctrl+V를 눌러서 붙여 넣기를 한 뒤에 Ctrl+T를 눌러서 변형 도구가 나오면 Ctrl+ 숫자 0을 눌러서 전체 화면을 잡고 알맞은 크기로 줄여줍니다. 그리고 Enter를 눌러서 완료합니다.

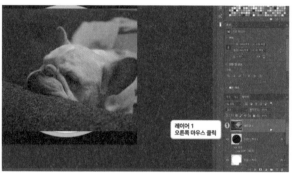

19. 레이어 패널에서 불러온 레이어 1의 오른쪽 마우스를 클릭합니다.

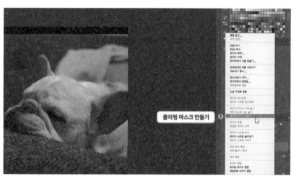

20. 클리핑 마스크를 눌러 줍니다.

21. 레이어 1의 불투명도를 16%로 조절하거나 또는 원하는 불투명 도로 조절해도 됩니다.

22. 레이어를 추가하고 타원 도구를 클릭합니다.

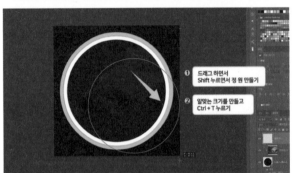

23. 드래그를 하면서 Shift를 눌러서 정 원을 만들어 줍니다. 그리고 알맞은 크기를 만들고 나서는 Ctrl+T를 눌러서 가운데로 이동을 하면서 기존에 타원보다 조금 작게 크기를 조절해 줍니다.

24. 중앙으로 이동을 시켰다면 Enter를 누르고 완료를 합니다.

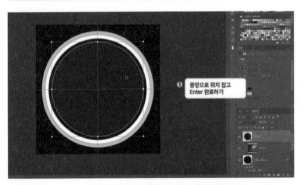

25. 속성 패널에서 칠 색상은 칠 없음으로 선택을 합니다.

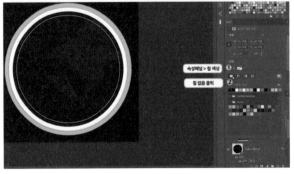

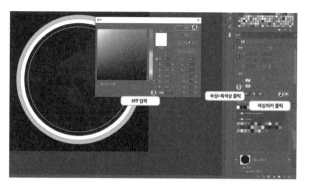

26. 속성 패널에서 획 색상을 클릭하고 색
상 피커를 누른 뒤 #fff를 입력하고 확인을
눌러줍니다.

27. 획 굵기는 5픽셀로 선택을 합니다.

28. 레이어를 추가하고 문자 도구를 클릭합
니다.

29. 중앙에 클릭을 하고 글씨를 입력해줍니
다. 입력할 글씨는 '반려견이 보내는 신호 알
아보기'입니다. 그리고 Ctrl+A를 눌러서 전
체 선택을 하고 글씨 속성을 바꿔 줍니다. 폰
트'나눔바른고딕' / 굵기 Light / 폰트 크기
124pt / 폰트 색상 #fff입니다.

30. 중간에 '보내는신호' 글씨만 따로 드래그해서 선택하고 폰트 굵기는 Bold로 바꾸고 색상은 #07ffc6으로 바꿉니다. 그리고 이동 도구를 눌러서 완료합니다.

31. 이동 도구로 살짝 위로 위치를 잡거나 혹은 원하는 위치가 있다면 위치를 조절해 줍니다.

32. 레이어를 추가하고 모서리가 둥근 직사각형 도구를 클릭합니다.

33. 드래그를 해서 작게 사각형을 만들어 줍니다. 그리고 속성 패널에서 칠 색상을 #07ffc6으로 변경을 해주고 스크롤을 내려서 반경 크기를 최대한으로 잡아서 완전히 모서리가 둥글어지게 만들어 줍니다. 반경 100 픽셀을 넣어서 완전히 둥글게 만듭니다.

**속성 패널에서 반경 크기는 한쪽만 숫자를 입력해도 모든 모서리가 일괄적으로 바뀌도록 기본 설정이 되어있습니다. 만약 안된다면 중앙에 클립 모양을 클릭하면 일괄적으로 변경 가능합니다.

34. 그리고 레이어를 추가한 뒤에 문자 도구를 클릭하고 '더 알아보기'라는 글씨를 넣고 Ctrl+A로 전체 선택을 하고 글씨 속성을 바꿔 줍니다.
폰트'나눔바른고딕' / 굵기 Light / 크기 36pt / 색상 #000으로 변경합니다.

35. 레이어를 추가하고 삼각형 도구를 클릭해 줍니다.

36. Shift를 누르면서 드래그를 해서 알맞은 정 삼각형을 만들어 줍니다.

37. 속성 패널에서 칠 색상 클릭 후 색상 피커를 누르고 #000을 입력하고 확인을 누릅니다.

38. 속성 패널에서 획 색상을 클릭하고 색상 없음을 클릭해서 획을 없애 줍니다.

39. Ctrl+T를 눌러서 변형 도구가 나오면 변형 도구 안에서 오른쪽 마우스를 클릭해서 시계 반항으로 90° 회전 메뉴를 클릭합니다.

40. 이동 도구를 클릭하고 Alt를 누르면서 삼각형을 끌어서 옆으로 이동시키면서 복제를 합니다.

41. 이렇게 두 개를 복제해서 총 3개의 삼각형을 만들어 줍니다.

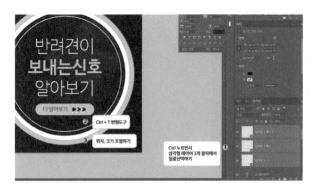

42. Ctrl 누르면서 레이어 패널에 있는 삼각형 레이어 3개를 모두 클릭하면서 일괄 선택을 해준 뒤 Ctrl+T를 눌러서 변형 도구가 나오면 위치와 크기를 조절해 줍니다.

43. 이동 도구를 클릭하고 각 레이어를 이동시키면서 원하는 위치를 조절해줍니다.

44. 정리가 완료되면 Ctrl+Alt+Shift를 눌러서 웹용으로 저장을 합니다.

[사진,내용 쉽게 변경하면서 무한대로 이미지 만들기]

45. 클리핑 마스크가 적용된 사진 레이어를 레이어 패널에서 클릭을 합니다.

46. Ctrl+O를 눌러서 파일 열기를 하거나 [파일]-[열기]를 눌러서 cat.jpg를 불러옵니다.

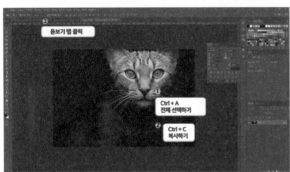

47. Ctrl+A를 눌러서 전체 선택을 하고 Ctrl+C를 눌러서 복사를 한 뒤 클리핑 마스크 탭을 클릭해서 이동합니다.

48. Ctrl+V를 눌러서 붙여 넣기를 한 후 Ctrl+T를 눌러서 변형 도구가 나오면 Ctrl+숫자 0을 눌러서 전체 화면을 잡고 알맞은 크기로 줄인 다음 Enter를 눌러서 완료합니다.

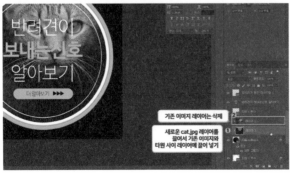

49. 새로운 cat.jpg레이어를 끌어서 클리핑 마스크가 적용된 레이어 밑으로 끌어 놓습니다. 그리고 기존에 위에 있는 이미지는 삭제를 합니다.

** 클리핑 마스크 만들기가 안될 때에는 다시 오른쪽 마우스 클릭을 해서 클리핑 마스크를 합니다.

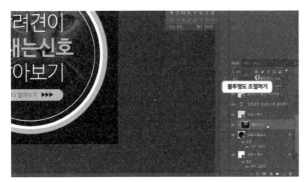

50. 새로운 레이어의 불투명도를 조절해 줍니다. 그리고 이동 도구를 클릭합니다.

51. 문자 도구를 클릭하고 중앙에 변경해야 할 텍스트를 클릭해서 수정을 해줍니다. 수정이 완료되면 이동 도구를 클릭해서 완료해 줍니다.

52. Ctrl+Alt+Shift를 눌러서 웹용으로 저장을 합니다.

53. JPEG로 선택하고 저장을 눌러서 이미지를 다른 이름으로 저장하면서 계속 바꾸면서 늘릴 수 있습니다.

**원본 한 개로 계속 사진과 문구를 바꾸면서 이미지 이름만 바꿔가면서 만들어 나갈 수 있습니다.

쌩초보도 하는 두고두고 쓰는 카드뉴스

심플한 템플릿의 카드 뉴스로 색상, 내용, 사진도 자유롭게 바꿔가면서 분위기를 바꿀 수 있고 쉽게 만들 수 있는 가장 기본적인 카드 뉴스입니다.

- '가을여자' 블로그에서 소스 다운과 영상을 함께 보세요.
- '가을여자' 유튜브에서도 만들기 영상이 있습니다.

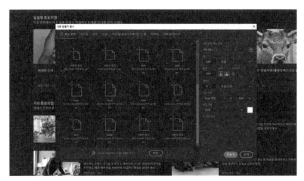

1. Ctrl+N을 누르거나 새로 만들기 버튼을 누르고 폭과 높이 모두 1080픽셀 / 해상도 72를 확인하고 제작을 클릭합니다.

2. Ctrl+Shift+S를 눌러서 다른 이름으로 저장을 합니다.
저장명은 '카드뉴스'로 하고 확인을 눌러줍니다.

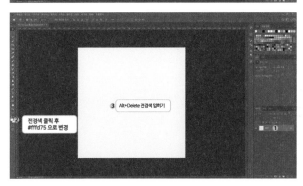

3. 배경 레이어를 클릭하고 전경 색을 클릭한 뒤 #fffd75을 입력하고 확인을 눌러줍니다. 그다음 Alt+Delete를 눌러서 전경 색을 입혀 줍니다.

4. 레이어를 추가하고 사각형 도구를 클릭합니다.

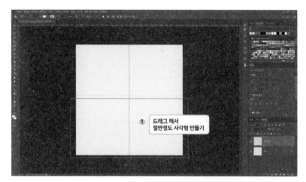

5. 아래 부분에 드래그를 해서 반 정도만 사각형을 만들어 줍니다.

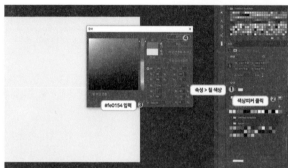

6. 속성 패널에서 칠 색상을 클릭하고 색상 피커를 클릭한 뒤 #fe0154를 입력하고 확인을 눌러줍니다.

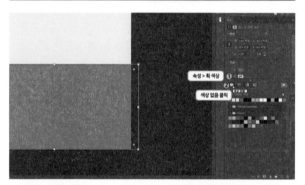

7. 속성 패널에서 획 색상은 색상 없음을 클릭해서 획을 없애 줍니다.

8. 레이어를 추가하고 타원 도구를 클릭해 줍니다.

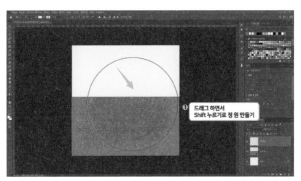

9. 드래그를 하면서 Shift를 눌러서 정 원을 만들어 줍니다.

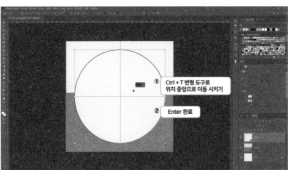

10. Ctrl+T를 눌러서 변형 도구가 나오면 중앙으로 위치를 해놓고 Enter를 눌러서 완료를 합니다.

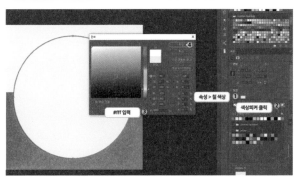

11. 속성 패널에서 칠 색상을 클릭하고 색상 피커를 눌러서 #fff를 입력하고 확인을 눌러줍니다.

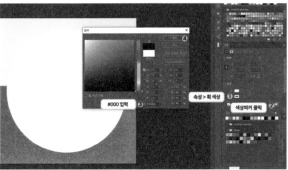

12. 속성 패널에서 획 색상을 클릭하고 색상 피커를 누른 뒤 #000을 입력하고 확인을 눌러줍니다.

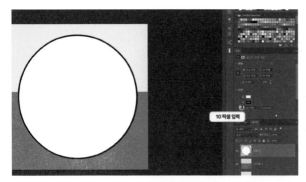

13. 획 크기는 10 픽셀로 놓고 Enetr를 눌러서 완료합니다.

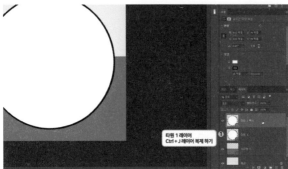

14. 레이어 패널에서 타원 1 레이어를 클릭하고 Ctrl+J를 눌러서 레이어를 복제합니다.

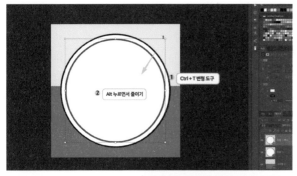

15. 복제된 레이어를 클릭하고 Ctrl+T를 눌러서 Alt를 누르면서 기존의 타원보다 조금 더 작게 줄여 줍니다.

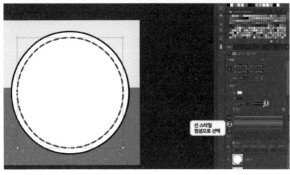

16. 속성 패널에서 선 스타일을 선택하고 점선으로 선택해 줍니다.

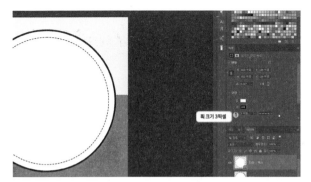

17. 획 크기는 3픽셀로 변경합니다.

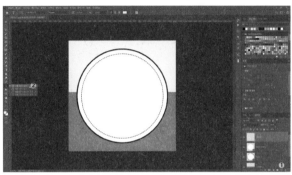

18. 레이어를 추가하고 문자 도구를 클릭합니다.

19. 중앙에 글씨를 '당뇨병에 좋은음식들'이라고 입력하고 Ctrl+A를 눌러서 전체 선택을 한 뒤에 폰트 속성을 수정합니다. 폰트'배달의민족 주아' / 크기 180pt / 색상 #000으로 바꿔준 뒤 옵션 바에서 가운데 정렬로 수정한 뒤 이동 도구 눌러서 완료를 합니다.

20. 이동 도구를 누르고 Ctrl+T를 눌러서 변형 도구가 나오면 위치를 가운데로 조절을 한 후 Enter를 눌러서 완료합니다.

21. 이동 도구를 눌러주고 글씨 부분을 더블 클릭을 해줍니다.

22. '당뇨병에'라는 글씨만 다시 드래그를 한 뒤 색상을 눌러서 색상 피커에서 #fffd75로 변경해주고 확인을 눌러 줍니다.

23. '좋은음식들' 부분을 드래그 해서 이번에 는 색상을 #fe0154를 입력하고 확인을 해서 변경합니다.

24. 이동 도구를 눌러서 완료를 하고 레이어 패널에서 글씨 레이어의 빈 공간을 더블 클 릭해서 레이어 스타일을 불러옵니다.

25. 획 메뉴를 클릭하고 크기 5px / 위치는 바깥쪽 / 색상 #000으로 변경을 하고 확인을 눌러 줍니다.

26. 이동 도구를 눌러 준 위 글씨의 위치를 살짝 위로 이동시켜줍니다.

27. 레이어를 추가하고 문자 도구를 클릭한 뒤 '당뇨병에..'라는 메인 문구 밑에 클릭 후 글씨를 ' [당뇨를 이기는 좋은 음식들] '이라고 입력을 한 뒤 Ctrl+A를 눌러서 전체 선택을 해주고 문자의 속성을 바꿔 줍니다. 폰트' 나눔스퀘어 / 굵기 Regular / 크기 44pt / 색상 #000으로 변경을 해줍니다.

28. 이동 도구를 눌러주고 글씨 레이어를 살짝 아래로 위치하면서 위지를 중앙으로 이동시켜줍니다.

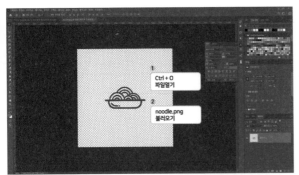

29. Ctrl+O를 눌러서 파일 열기 또는 [파일]-[열기]를 눌러서 noodle.png 파일을 불러옵니다.

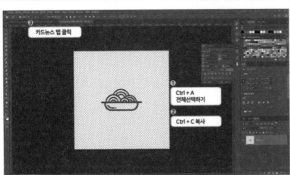

30. Ctrl+A를 눌러서 전체 선택을 하고 Ctrl+C를 눌러서 복사를 한 뒤 카드뉴스 탭으로 이동합니다.

31. Ctrl+V를 눌러서 붙여 넣기를 한 뒤 Ctrl+T를 눌러서 변형 도구가 나오게 합니다.

32. 크기를 조절한 뒤 제일 위로 올려주고 Enter를 눌러서 완료합니다.

33. 레이어 패널에서 불러온 레이어 1의 빈 공간을 더블 클릭해서 레이어 스타일을 불러옵니다.

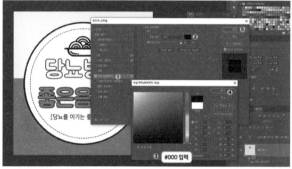

34. 색상 오버레이 메뉴를 클릭하고 색상을 클릭해서 색상 피커가 나오면 #000으로 변경하고 확인을 눌러 줍니다.

35. 이동 도구를 클릭하고 이동 도구로 글씨와 아이콘 등등 위치를 알맞게 이동을 하면서 위치를 잡아 줍니다.

36. 레이어 패널에서 Ctrl를 누르면서 사각형 레이어와 타원 레이어 2개를 클릭하면서 일괄적으로 선택합니다. 그리고 레이어 패널에 자물쇠 모양을 클릭해서 잠그기를 해줍니다.

37. 이동 도구를 클릭하고 Ctrl+Alt+Shift를 눌러서 웹용으로 저장을 합니다.

38. JPEG로 선택하고 저장을 눌러줍니다.

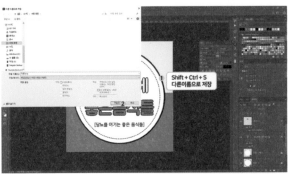

39. 이번에는 내용을 만들기 위해서 기존에 있던 '카드뉴스' 원본에서 Shift+Ctrl+S를 눌러서 다른 이름으로 저장을 하고 파일명을 '카드뉴스내용'이라고 저장합니다.

40. 레이어 패널에서 Ctrl를 누르면서 타원 1, 타원 1 복사 레이어를 클릭해서 일괄 선택을 하고 아까 눌렀던 자물쇠 모양인 잠그기를 다시 눌러서 잠그기 해제를 하고 delete를 눌러서 삭제를 합니다.

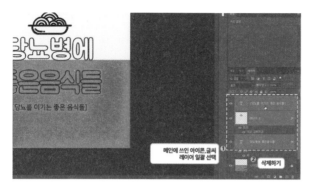

41. 기존에 있던 글씨 레이어와 아이콘 모두 선택해서 삭제해줍니다.

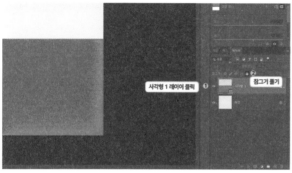

42. 모두 지웠다면 남아있는 삼각형 1 레이어를 클릭하고 잠그기를 풀어줍니다.

43. Ctrl+O를 눌러서 파일 열기 또는 [파일]-[열기]를 눌러서 fish.jpg 파일을 불러옵니다.

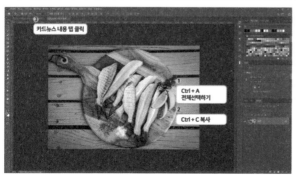

44. Ctrl+A를 눌러서 전체 선택을 하고 Ctrl+C를 눌러서 복사를 한 뒤 카드뉴스내용 탭으로 이동합니다.

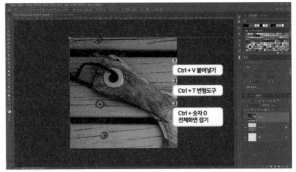

45. Ctrl+V를 눌러서 붙여 넣기를 한 뒤 Ctrl+T를 눌러서 변형 도구가 나오게 합니다.
그리고 Ctrl+숫자 0을 눌러서 전체 화면을 잡아줍니다.

46. 알맞은 크기로 조절을 해준 뒤 Enter를 눌러서 완료합니다.

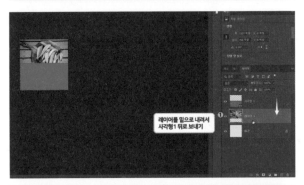

47. 레이어 패널에서 불러온 사진 레이어 (fish.jpg)를 사각형 1 레이어의 밑으로 끌어서 뒤로 보내줍니다.

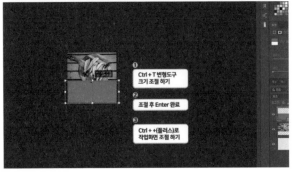

48. 레이어 패널에서 사각형 1 레이어를 클릭한 뒤 Ctrl+T를 눌러서 변형 도구가 나오면 크기를 조절 한 뒤 Enter를 눌러서 완료를 합니다.
사각 박스에는 카드뉴스 내용이 들어가야 하기 때문에 넉넉히 크기를 조절해줍니다. 그리고 Ctrl+플러스(+) 버튼을 눌러가면서 작업화면을 조절해줍니다.

49. 레이어를 추가하고 문자 도구를 클릭합니다.

50. 사각형 위에 글씨를 '1. 생선'이라고 입력하고 Ctrl+A를 눌러서 전체 선택을 하고 문자 패널에서 속성을 수정합니다. 폰트 '배달의 민족 주아체' / 크기 150pt / 색상 #fffd75로 변경을 해줍니다. 폰트 크기는 알맞게 크기 조절해도 상관없습니다.

51. 레이어를 추가하고 문자 도구를 클릭한 뒤 '1. 생선'이라는 글씨 밑에 마우스를 누른 채로 드래그하면서 텍스트 박스를 만들어 줍니다.

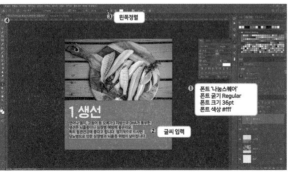

52. 폰트는 '나눔 스퀘어'/ 굵기는 Regular / 크기 36pt / 색상 #fff으로 바꾸고 알맞은 멘트를 4줄 정도 넣어줍니다. 그리고 옵션 바에 있는 텍스트 정렬을 왼쪽 정렬로 바꿔 주고 이동 도구를 눌러서 완료합니다.

** 책에 있는 4줄 문구 내용
연어나 멸치, 고등어 등 오메가 3 지방산과 DHA가 풍부한 생선은 뇌졸중이나 심장병 예방에 좋습니다. 특히 혈관건강에 좋다고 합니다. 정기적으로 드시면 당뇨병으로 인한 심장병과 뇌졸중 위험이 낮아집니다.

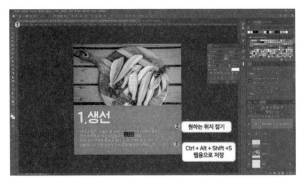

53. 이동 도구를 클릭하고 글씨들을 원하는 위치를 잡아서 정리를 한 뒤 Ctrl+Alt+Shift 를 눌러서 웹용으로 저장을 합니다.

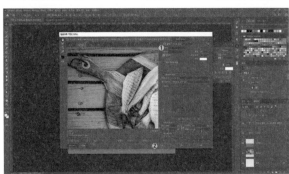

54. JPEG로 선택하고 저장을 눌러줍니다.

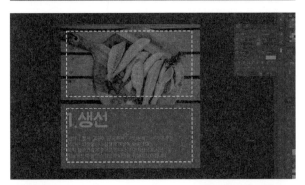

55. 표시된 사진, 텍스트 부분은 계속 수정하면서 이미지를 웹용으로 저장하면서 내용을 바꿔가면서 만들 수 있습니다.

56. 카드 뉴스 메인도 텍스트, 아이콘을 번갈아 가면서 바꿀 수 있습니다.

6장

포토샵 스킬을 UP 시켜주는 200% 활용법

더 좋은 이미지를 만들기 위한 폰트 리스트부터

이미지를 더 멋지게 만들어줄 유용한 사이트 리스트까지

포토샵의 기본적인 오류도 해결할 수 있는 유용한 팁을 확인해보세요!

폰트 찾기와 설치 방법

포토샵을 사용해서 홍보 이미지를 만들 때 필수로 다양한 폰트가 있어야만
이미지를 제작할 때 수월합니다.
무료 폰트 사이트와 설치하는 방법을 안내해드리겠습니다.

[폰트 찾는 방법]

1. 네이버 무료 폰트 (비 상업용 무료 폰트)

네이버에서 '네이버 무료 폰트'를 검색하시면 개인용으로 쓸 수 있는 무료 폰트가 나옵니다.
상업용으로 사용이 불가하고 개인용으론 사용이 가능합니다.
각 폰트 별로 사용 범위가 나와 있으니 꼭 참고를 해서 다운을 받아서 사용을 하시면 됩니다.

2. 눈누 (상업용 무료 폰트) https://noonnu.cc/

눈누 사이트는 상업용으로 사용이 가능한 폰트들을 소개해놓은 사이트로 폰트를 클릭하면 다운로드할 수 있는 사이트로 이동됩니다.

폰트를 다운로드할 때 나오는 TTF, OTF 파일은 두 가지의 차이는 출력물로 쓸 수 있는 폰트와 아닌 폰트 차이로 인쇄물이나 디자인을 할 때 쓰는 폰트는 OTF, 문서 작업이나 간단한 디자인 작업은 TTF를 사용합니다. 알맞은 타입을 선택해서 설치하시면 됩니다.

[폰트 설치 방법]

1. TTF, OTF 파일로 다운로드하였을 경우
2. EXE 실행파일로 다운로드하였을 경우

폰트를 다운로드할 때 간혹 두 가지 파일로 보입니다.
각각 설치 방법을 소개합니다.

[1. TTF, OTF 파일로 다운 받았을 경우]

1. 제어판을 열고 모양 및 개인 설정을 들어갑니다.

2. 글꼴을 클릭 해줍니다.

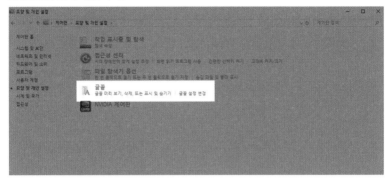

3. 다운로드한 폴더를 옆에 놓고 클릭한 상태로 마우스로 끌어다가 제어판 글꼴에 넣어 줍니다.

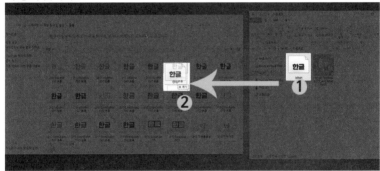

4. 글꼴이 제대로 들어갔는지 확인합니다.

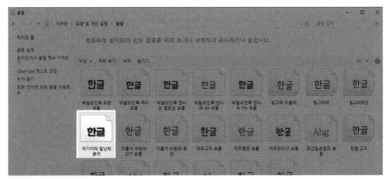

다운로드한 파일을 제어판을 끌어넣는 게 안 될 경우

다운로드한 글꼴 파일을 클릭하고 Ctrl+C를 눌러서 복사를 하고 제어

판 글꼴 폴더로 돌아가서 Ctrl+V를 눌러서 붙여 넣기를 해줍니다.

[2. EXE 실행파일로 다운로드 했을 경우]

1. EXE 파일을 더블 클릭해서 실행 한 다음 설치를 시작합니다.

2. 따로 제어판으로 넣지 않아도 되고 설치하면 적용이 되어있습니다.

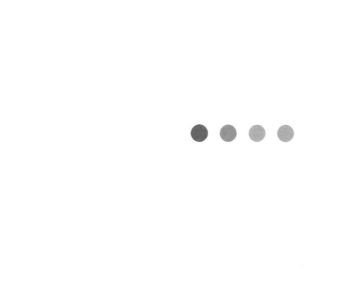

study02

유용한 사이트 리스트

홍보 이미지를 만들 때 도움을 받을 수 있는 사이트 목록입니다.

1. 나눔 글꼴 (https://hangeul.naver.com/)

나눔 글꼴을 다운로드할 수 있는 사이트입니다.

네이버 나눔 글꼴은 상업용으로도 사용이 가능하기 때문에 홍보 이미지를 만들 때 유용합니다.

2. 망고 보드 (https://www.mangoboard.net/)

망고 보드 사이트는 디자인 플랫폼 사이트로 포토샵이 어려운 분들은 만들어진 템플릿을 수정해서 쓸 수 있는 유용한 사이트입니다. 무료 사용도 가능하며 학생, 일반, 프로 등급으로 요금제를 사용할 수 있습니다.

3. 타일 (https://tyle.io/)

동영상 콘텐츠도 만들 수 있는 사이트로 SNS 홍보 이미지를 만들 때 다양한 템플릿을 쉽게 만들 수 있는 장점을 가지고 있습니다. 이 사이트 역시 유료 결제를 하면 더 다양하게 템플릿을 사용할 수 있습니다.

4. 프리 픽 (https://www.freepik.com/)

외국 사이트인 프리 픽은 다양한 포토샵 템플릿과 일러스트 템플릿 등 저렴한 가격으로 월정액을 쓰면서 다양한 종류의 이미지부터 템플릿을 사용할 수 있습니다.

5. 플랫아이콘 (https://www.flaticon.com/)

160만 개가 넘는 아이콘들이 있는 사이트는 유료, 무료 아이콘들이 있습니다. 외국 사이트로 영어로 검색을 해서 찾고 싶은 아이콘을 찾아서 쓸 수 있습니다.

6. 드리블 (https://dribbble.com/)

드리블은 여러 디자이너들의 작품을 볼 수 있는 사이트로 색상으로도 검색해서 다양한 작품을 볼 수 있습니다.

7. unsplash (https://unsplash.com/)

무료 이미지 사이트로 감성적인 이미지와 고품질 풍경 이미지까지 찾을 수 있습니다.

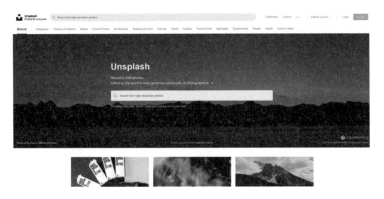

8. pexels (https://www.pexels.com/)

무료 이미지 사이트로 고퀄리티 이미지를 얻을 수 있는 사이트입니다.

9. 픽사베이 (https://pixabay.com/ko/)

가장 유명한 무료 이미지 사이트로 상업용으로 사용 가능한 무료 이미지를 찾을 수 있습니다.

10. 한글마을 (https://www.koreafont.com/)

찾고 싶은 폰트를 편하게 검색할 수 있는 사이트입니다.
한글 폰트를 찾을 때 유용한 사이트입니다.

study03

포토샵 소스 적용 하는 방법

포토샵을 할 때 브러시, 사용자 정의 모양 도구, 패턴 등 이미지를 만들 때 도와주는 소스들을 적용하는 방법을 알아보겠습니다.

[브러시 소스 적용 방법]

1. 툴바에 브러시 도구를 클릭합니다.

2. 옵션 바에 브러시 모양을 클릭하고 톱니바퀴 모양을 클릭하여 브러시 가져오기를 선택합니다.

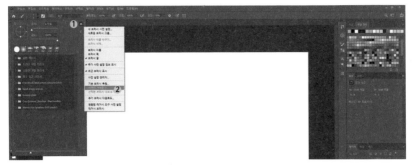

3.브러시 소스를 다운로드한 폴더를 선택하여 소스를 클릭하고 불러오기를 합니다. 브러시 소스 파일은. ABR입니다.

4. 브러시 소스가 적용이 되면 브러시 리스트에 그룹이 생성되면서 밑에 추가가 됩니다.

[패턴 소스 적용 방법]

1. [편집]-[칠]을 클릭합니다.

2. 칠 옵션이 나오면 사용자 정의 패턴을 클릭하여 패턴 리스트가 나오면 톱니바퀴 모양을 클릭하고 패턴 불러오기를 선택합니다.

3. 패턴 소스를 다운받은 폴더를 선택하여 다운받은 소스를 클릭하고 불러오기를 클릭합니다. 패턴 소스 파일은 .PAT입니다.

4. 패턴이 적용이 되면 리스트 아래에 추가가 된 것을 확인할 수 있습니다.

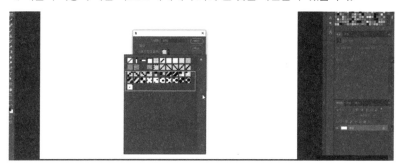

[사용자 정의 모양 도구 소스 (커스텀 쉐이프) 적용 방법]

1. 툴바에 사용자 정의 모양 도구를 클릭합니다.

2. 옵션 바에 있는 사용자 정의 모양 도구 모양을 클릭하고 톱니바퀴 모양을 선택하고 모양 불러오기를 클릭합니다.

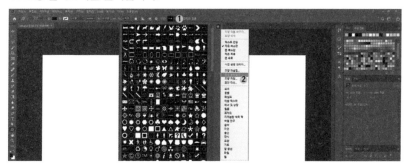

3. 모양 도구를 다운로드한 폴더를 선택하여 다운로드한 소스를 클릭하고 불러오기를 클릭합니다. 모양 소스 파일은. CSH입니다.

4. 모양이 추가가 되면 리스트 아래에 모양이 추가가 되어있는 걸 확인할 수 있습니다.

소스의 아이콘 모양이 나오지 않는 다면
파일 유형을 확인해서 선택해서 불러옵니다.

채널별 최적 이미지 사이즈

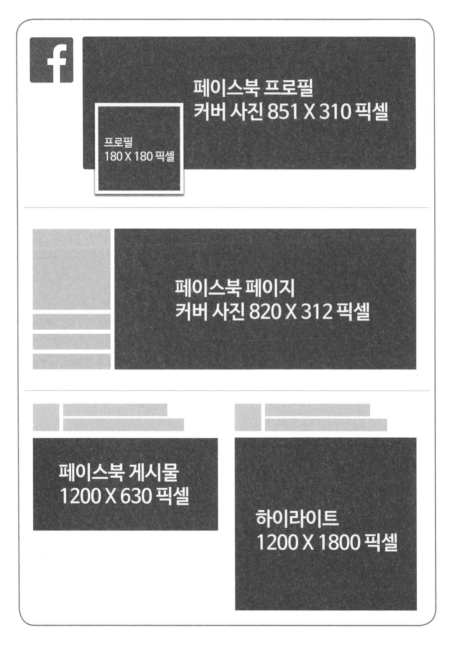

페이스북 프로필
커버 사진 851 X 310 픽셀

프로필
180 X 180 픽셀

페이스북 페이지
커버 사진 820 X 312 픽셀

페이스북 게시물
1200 X 630 픽셀

하이라이트
1200 X 1800 픽셀

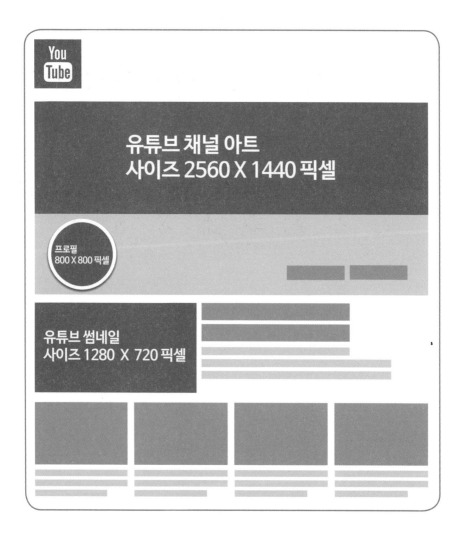

포토샵 단축키

보기	
임시선 보기/숨기기	Ctrl + H
패스 선 보기/숨기기	Ctrl + Shift + H
안내선 보기/숨기기	Ctrl + (;)
안내선 잠금/해제	Ctrl + Alt + (;)
안내선, 그리드, 슬라이스 등의 설정	이동 도구로 안내선 더블 클릭
그리드 보기/숨기기	Ctrl + (')
눈금자 보기/숨기기	Ctrl + R
안내선, 그리드, 슬라이스 스냅 적용	Ctrl + Shift + (;)
도구 상자 보기/숨기기	Tab
패널 보기/숨기기	Shift + Tab
열려있는 창 바꾸며 보기	Ctrl + Tab
작업 창 보기 방식 변경	F

이미지	
레벨 대화 상자 열기	Ctrl + L
자동 톤 적용	Ctrl + Shift + L
자동 대비 적용	Ctrl + Alt + Shift + L
곡선 상자 열기	Ctrl + M
색상 균형 상자 열기	Ctrl + B
자동 색상 적용	Ctrl + Shift + B
흑백 대화 상자 열기	Ctrl + Alt + Shift + B
색조/채도 대화 상자 열기	Ctrl + U
채도 감소 대화 상자 열기	Ctrl + Shift + U
이미지 색상 반전	Ctrl + I
이미지 크기	Ctrl + Alt + I
캔버스 크기	Ctrl + Alt + C
최근 작업 페이드 효과 적용	Ctrl + Shift + F

패스	
방향선 제거	Alt + 앵커 포인트
45 °, 수직, 수평으로 그리기	Shift 누르며 클릭
선택 도구로 변환되어 방향/위치 변경	Ctrl + 포인트 클릭 드래그
포인트 변환 도구	패스 도구 사용 하며 Alt
패스 선 보기/숨기기	Ctrl + Shift + H
패스 삭제	Delete

브러시	
브러시 크기 조절	[,]
브러시 가장자리 패더 값 강/약	Shift + [,]
브러시 커서 미리 보기 활성화	Caps Lock
직선으로 그리기	Shift + 마우스로 드래그
스포이드 도구로 전환	Alt
투명도 조절	숫자키

컬러	
전경색/배경색 위치 바꾸기	D, X
전경색 채우기	Alt + Delete
배경색 채우기	Ctrl + Delete
칠 대화 상자 열기	Shift + F5
전경색으로 추출하기	스포이드 도구 + 클릭
배경색으로 추출하기	스포이드 도구 + Alt + 클릭
투명 영역을 제외하고 전경색 채우기	Alt + Shift + Delete
투명 영역을 제외하고 배경색 채우기	Ctrl + Shift + Delete

필터	
최근 적용한 필터 적용	Ctrl + F
최근 적용한 필터 열기	Ctrl + Alt + F
응용 광각 필터	Ctrl + Shift + A
렌즈 교정 필터	Ctrl + Shift + R
픽셀 유동화	Ctrl + Shift + X
소실점 필터	Alt + Ctrl + V

파일

새로 만들기	Ctrl + N
파일 열기	Ctrl + O
파일 브라우저로 열기	Ctrl + Alt + O
파일 포맷 지정하여 열기	Ctrl + Alt + Shift + O
작업 창 닫기	Ctrl + W
열린 작업 창 모두 닫기	Ctrl + Alt + W
저장 하기	Ctrl + S
다른 이름으로 저장	Ctrl + Shift + S
웹용 이미지로 저장	Ctrl + Alt + Shift + S
되돌리기	F12
파일 정보 불러오기	Ctrl + Alt + Shift + I
인쇄하기	Ctrl + P
한 부 인쇄하기	Ctrl + Alt + Shift + P
포토샵 종료	Ctrl + Q
환경 설정	Ctrl + K

선택 영역

이동 하기	Ctrl + 드래그
마우스 있는 자리에서 선택 영역 지정	Alt + 드래그
정비례로 선택 영역 지정	Shift + 드래그
선택 영역 추가	영역 선택 후 Shift + 드래그
선택 영역 제거	영역 선택 후 Alt + 드래그
공통 선택 영역 지정	영역 선택 후 Alt + Shift + 드래그
선택 영역 해제	Ctrl + D
최근 지정한 선택 영역 활성화	Ctrl + Shift + D
패더 상자 열기	Ctrl + Alt + D
선택한 영역 다듬기	Ctrl + Alt + R
선택한 영역 반전	Ctrl + Shift + I
전체 선택	Ctrl + A
선택 영역 복사	Ctrl + C
보이는 이미지 선택 영역 복사	Ctrl + Shift + C
선택 영역 붙이기	Ctrl + V
원하는 위치에 선택 영역 붙이기	Ctrl + Shift + V
선택 잘라내기	Ctrl + X
선택한 영역 새 레이어로 복사	Ctrl + J
선택한 영역 새 레이어로 잘라내기	Ctrl + Shift + J
레이어 이미지를 선택 영역으로 활성	Ctrl + 레이어 썸네일 클릭
레이어 이미지를 선택 영역으로 추가	Ctrl + Shift + 썸네일 클릭
레이어 이미지를 선택 영역으로 제거	Ctrl + Alt + 썸네일 클릭
레이어 이미지 공통 선택 영역으로 지정	Ctrl + Alt + Shift + 썸네일 클릭

레이어

대화 상자 없이 새 레이어 생성	Ctrl + Alt + Shift + N
선택한 레이어 아래에 새 레이어 생성	Ctrl + 새 레이어 만들기
선택한 레이어만 보기	Alt + 눈 아이콘 클릭
일반 레이어로 전환	Alt + 배경 레이어 더블 클릭
검은색 마스크 생성	Alt + 레이어 마스크
레이어 이름 수정	레이어 이름 더블 클릭
레이어 그룹 만들기	Ctrl + G
레이어그룹 해제	Ctrl + Shift + G
클리핑 마스크 적용/해제	Ctrl + Alt + G
연결된 레이어 다중 선택	Shift + 연결된 레이어 선택
떨어져 있는 레이어 다중 선택	Ctrl + 레이어 다중 클릭
선택된 레이어 하단 레이어와 병합	Ctrl + E
눈에 보이는 모든 레이어 병합	Ctrl + Shift + E
병합 하여 새 레이어 생성	Ctrl + Alt + Shift + E
블렌딩 모드 순서 변경	블렌딩 버튼 + 방향키 / 마우스 휠
불투명도 값 조절	숫자키
레이어 한단계 위/아래로 이동	Ctrl +], [
레이어 맨 위/아래로 이동하기	Ctrl + Shift +], [

문자

수치 조절	좌우 드래그
서체 바꾸기	서체 클릭 후 방향키
글자 진하게	Ctrl + Shift + B
글자 밑줄	Ctrl + Shift + U
문자 입력 완료	Ctrl + Enter

화면

100% 화면 확대	Ctrl + (+)
100% 화면 축소	Ctrl + (-)
작업 창을 화면에 맞게 조절	Ctrl + 0
화면 100%를 적용 & 화면에 맞게 작업 창 조절	Ctrl + 1
100% 단위 확대 & 화면에 맞게 작업 창 조절	Ctrl + Alt + (+)
100% 단위 축소 & 화면에 맞게 작업 창 조절	Ctrl + Alt + (-)
화면을 100% 보기	돋보기 더블 클릭
손바닥 툴로 화면 이동	스페이스 바 누르며 클릭 이동
화면 확대/축소	Ctrl + 스페이스 바 + 드래그
상단 왼쪽 보기 / 하단 오른쪽 보기	Home / End
화면을 위/아래로 스크롤	Page Up / Down
화면을 왼쪽/오른쪽 스크롤	Ctrl + Page Up / Down

보기

임시선 보기/숨기기	Ctrl + H
패스 선 보기/숨기기	Ctrl + Shift + H
안내선 보기/숨기기	Ctrl + (;)
안내선 잠금/해제	Ctrl + Alt + (;)
안내선, 그리드, 슬라이스 등의 설정	**이동 도구로 안내선 더블 클릭**
그리드 보기/숨기기	Ctrl + (`)
눈금자 보기/숨기기	Ctrl + R
안내선, 그리드, 슬라이스 스냅 적용	Ctrl + Shift + (;)
도구 상자 보기/숨기기	Tab
패널 보기/숨기기	Shift + Tab
열려있는 창 바꾸며 보기	Ctrl + Tab
작업 창 보기 방식 변경	F

이미지

레벨 대화 상자 열기	Ctrl + L
자동 톤 적용	Ctrl + Shift + L
자동 대비 적용	Ctrl + Alt + Shift + L
곡선 상자 열기	Ctrl + M
색상 균형 상자 열기	Ctrl + B
자동 색상 적용	Ctrl + Shift + B
흑백 대화 상자 열기	Ctrl + Alt + Shift + B
색조/채도 대화 상자 열기	Ctrl + U
채도 감소 대화 상자 열기	Ctrl + Shift + U
이미지 색상 반전	Ctrl + I
이미지 크기	Ctrl + Alt + I
캔버스 크기	Ctrl + Alt + C
최근 작업 페이드 효과 적용	Ctrl + Shift + F

패스

방향선 제거	Alt + 앵커 포인트
45˚, 수직, 수평으로 그리기	**Shift 누르며 클릭**
선택 도구로 변환되어 방향/위치 변경	**Ctrl + 포인트 클릭 드래그**
포인트 변환 도구	**패스 도구 사용 하며 Alt**
패스 선 보기/숨기기	Ctrl + Shift + H
패스 삭제	Delete

브러시

브러시 크기 조절	[,]
브러시 가장자리 패더 값 강/약	Shift + [,]
브러시 커서 미리 보기 활성화	Caps Lock
직선으로 그리기	Shift + 마우스로 드래그
스포이드 도구로 전환	Alt
투명도 조절	숫자키

컬러

전경색/배경색 위치 바꾸기	D, X
전경색 채우기	Alt + Delete
배경색 채우기	Ctrl + Delete
칠 대화 상자 열기	Shift + F5
전경색으로 추출하기	**스포이드 도구 + 클릭**
배경색으로 추출하기	**스포이드 도구 + Alt + 클릭**
투명 영역을 제외하고 전경색 채우기	Alt + Shift + Delete
투명 영역을 제외하고 배경색 채우기	Ctrl + Shift + Delete

필터

최근 적용한 필터 적용	Ctrl + F
최근 적용한 필터 열기	Ctrl + Alt + F
응용 광곽 필터	Ctrl + Shift + A
렌즈 교정 필터	Ctrl + Shift + R
픽셀 유동화	Ctrl + Shift + X
소실점 필터	Alt + Ctrl + V

쌩초보들의 포토샵 오류 해결하기

[문자를 쓰면 중간에 갑자기 굴림체로 바뀌는 경우]

Ctrl + K를 눌러서 [환경 설정]을 불러옵니다.

또는 [편집]-[환경 설정]-[문자]-[문자 옵션]을 보고 [누락된 글리프 보호 사용]을 체크 해

제합니다.

[메모리가 부족하다고 할 때]

Ctrl + K를 눌러서 [환경 설정]을 불러옵니다.

또는 [편집]-[환경 설정]-[성능]을 누르고 메모리 사용에서 표시된 부분을 마우스로 좌우

로 드래그하여 용량을 늘려줍니다.

단 사용 가능한 RAM을 확인하시고 적장 한 범위를 선택해주는 게 좋고 90%를 넘기지

않는 선으로 하는 게 좋습니다.

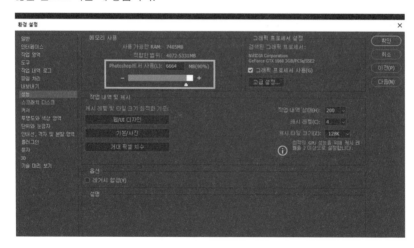

[폰트 목록이 전부 영문으로 보일 때]

Ctrl + K를 눌러서 [환경 설정]을 불러옵니다.
또는 [편집]-[환경 설정]-[문자]를 누르고 옵션에 보이는 [글꼴 이름을 영어로 표시]
를 해제합니다.

[브러시 도구의 모양이 이상할 때 (모양이 보이지 않을 때)]

Caps Lock을 눌러서 형태를 바꿀 수 있습니다.
다시 한번 누르면 조준선으로 보이고 또 한 번 누르면 모양 미리보기로 정상적으로
나옵니다.

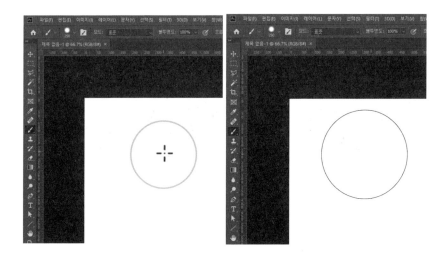

[레이어를 클릭해도 선택이 안 되고 다른 레이어가 선택되는 경우]

이동 도구를 클릭하여 옵션 바에 자동선택이 체크되어있는지 확인하고
안 되어있다면 자동 체크를 선택합니다.
그리고 바로 옆에 그룹으로 되어있다면 레이어로 바꿔주면 됩니다.

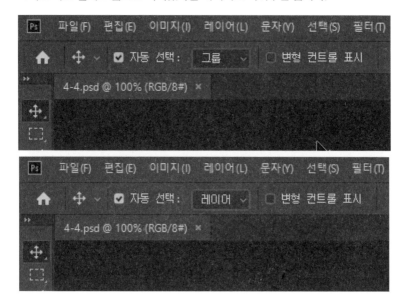

[갑자기 작업 화면이 흑백으로 보일 때]

채널 패널을 확인하여 RGB와 다른 목록이 모두 눈이 켜져 있는지 확인을 하고
안 되어있다면 모두 눈을 켜주고 마우스로 선택을 해주면 됩니다.